PETITE CONVERSATION EN

Italien

D0306158

Petite conversation en *Italien2*

Traduit de l'ouvrage *Fast Talk Italian*, 1st edition – May 2004
© Lonely Planet Publications Pty Ltd 2009

place
des
éditeurs

Traduction française : © Lonely Planet 2009,
12 avenue d'Italie, 75627 Paris cedex 13
☎ 01 44 16 05 00
🖳 lonelyplanet@placedesediteurs.com
🖳 www.lonelyplanet.fr

Responsable éditorial : Didier Férat
Coordination éditoriale : Cécile Bertolissio
Traduction : Marylène Di Stefano et Frédérique Hélion-Guerrini
Maquette : Marie-Thérèse Gomez et Jean-Noël Doan

Dépôt légal
Février 2009
ISBN 978-2-84070-826-1

texte © Lonely Planet Publications Pty Ltd 2009

Photographie
Petite Fiat et scooter, de Claudio Arnese.
© iStockphoto 2009

Imprimé en France par E.M.D.- N° dossier : 20389

Tous droits de traduction ou d'adaptation, même partiels, réservés pour tous pays. Aucune partie de ce livre ne peut être copiée, enregistrée dans un système de recherches documentaires ou de base de données, transmise sous quelque forme que ce soit, par des moyens audiovisuels, électroniques ou mécaniques, achetée, louée ou prêtée sans l'autorisation écrite de l'éditeur, à l'exception de brefs extraits utilisés dans le cadre d'une étude.

Lonely Planet et le logo de Lonely Planet sont des marques déposées de Lonely Planet Publications Pty Ltd.

Lonely Planet n'a cédé aucun droit d'utilisation commerciale de son nom ou de son logo à quiconque, ni hôtel ni restaurant ni boutique ni agence de voyages. En cas d'utilisation frauduleuse, merci de nous en informer : www.lonelyplanet.fr/bip

CONVERSATION 6

VISITES 13

SHOPPING 20

SORTIES 26

RESTAURANT 28

Nom : italien

Les italophones appellent leur langue l'*italiano* i·ta·*lya*·no.

Famille linguistique : langue romane

L'italien appartient à la famille des langues romanes, comme le français, l'espagnol, le portugais et le roumain.

Pays concernés :

L'italien est parlé en Italie. Il a également le statut de langue officielle en Suisse, en Slovénie et en Croatie (Istrie), où il est pratiqué par certaines minorités.

Nombre de locuteurs :

Il y a près de 65 millions de locuteurs italiens de par le monde, et beaucoup de ceux qui vivent en Italie parlent, en plus, le dialecte de leur région.

Emprunts au français :

Le français a emprunté de nombreux mots à l'italien, notamment dans les domaines de la musique, de l'art et de la cuisine. Opéra, maestro, spaghetti et broccoli ne sont que quelques exemples parmi tant d'autres.

Grammaire :

Du fait de leur origine latine commune, les syntaxes de l'italien et du français présentent de grandes similitudes.

Prononciation :

À l'exception du *r* roulé, tous les sons de l'italien existent en français. Vous ne devriez donc pas avoir de problèmes de prononciation.

Abréviations utilisées dans ce guide :

m	masculin	sg	singulier	pol	politesse
f	féminin	pl	pluriel	fam	familier

CONVERSATION
Premier contact

Bonjour.	*Buongiorno/Salve.*	bwonn·*djor*·no/*sal*·vé
Salut.	*Ciao.*	*tcha*.o
Bonne journée.	*Buona giornata.*	*bwo*·na djor·*na*·ta
Bonsoir.	*Buonasera.*	bwo·na·*sè*·ra
Bonne nuit.	*Buonanotte.*	bwo·na·*not*·té
Au revoir.	*Arrivederci.*	ar·ri·vé·*dèr*·tchi
M./Monsieur	*Signore*	si·*nyo*·ré
	Dottore formel	dot·*to*·ré
Mme/Madame	*Signora*	si·*nyo*·ra
	Dottoressa formel	dot·to·*rès*·sa
Mlle/Mademoiselle	*Signorina*	si·nyo·*ri*·na

Basiques

Oui.	*Sì.*	si
Non.	*No.*	no
S'il te/vous plaît.	*Per favore.*	pér fa·*vo*·ré
Merci	*Grazie*	*gra*·tsyé
(beaucoup).	*(mille).*	*(mil*·lé)
De rien.	*Prego.*	*prè*·go
Excuse-moi/	*Scusami/*	*skou*·za·mi
Excusez-moi.	*Mi scusi.* fam/pol	mi *skou*·zi/
Désolé.	*Mi dispiace.*	mi di·*spya*·tché

Comment allez-vous/vas-tu ?
Come sta? pol · *ko·mé sta*
Come stai? fam · *ko·mé staille*

Bien. Et vous/toi ?
Bene. E Lei/tu? pol/fam · *bè·né é leille/tou*

Comment vous appelez-vous/t'appelles-tu ?
Come si chiama? pol · *ko·mé si kya·ma*
Come ti chiami? fam · *ko·mé ti kya·mi*

Je m'appelle...
Mi chiamo ... · *mi kya·mo ...*

Je vous/te présente...
Le/Ti presento ... pol/fam · *lé/ti pré·zènn·to ...*

Enchanté(e).
Piacere. · *pya·tchè·ré*

J'ai été ravi(e) de faire votre/ta connaissance.
È stato veramente un piacere conoscerla/ conoscerti. pol/fam · *è sta·to vé·ra·mènn·té ounn pya·tchè·ré ko·no·chér·la/ ko·no·chér·ti*

Je vous/te présente...	*Le/Ti presento ...* pol/fam	*lé/ti pré·zènn·to ...*
mon/ma	*il mio/la mia*	il *mi·*o/la *mi·*a
collègue	*collega* m/f	kol·*lè·*ga
mon ami(e)	*il mio amico* m	il *mi·*o a·*mi·*ko
	la mia amica f	la *mi·*a a·*mi·*ka
mon compagnon	*il mio compagno*	il *mi·*o komm·*pa·*nyo
ma compagne	*la mia compagna*	la *mi·*a komm·*pa·*nya
mon mari	*mio marito*	*mi·*o ma·*ri·*to
ma femme	*mia moglie*	*mi·*a mo·*lyé*

Je suis ici...	Sono qui ...	so·no kwi ...
en vacances	in vacanza	inn va·*kann*·tsa
pour affaires	per affari	pér af·*fa*·ri
pour mes études	per motivi	pér mo·*ti*·vi
	di studio	di *stou*·dyo
avec ma famille	con la mia	konn la *mi*·a
	famiglia	fa·*mi*·lya
avec mon ami(e)	con il mio	konn il *mi*·o
	compagno m	komm·*pa*·nyo
	con la mia	konn la *mi*·a
	compagna f	komm·*pa*·nya

Vous restez/tu restes ici pendant combien de temps ?

Quanto tempo si fermerà? pol	kwann·to tèmm·po si fér·mé·*ra*
Quanto tempo ti fermerai? fam	kwann·to tèmm·po ti fér·mé·*rai*

Je reste ici ... jours/semaines.

Sono qui per ... giorni/	so·no kwi pér ... *djor*·ni/
settimane.	sét·ti·*ma*·né

Pour plus de détails sur les dates, consultez le chapitre **EN DÉTAIL**, p. 67.

Voici mon...	Ecco il mio ...	èk·ko il *mi*·o ...
Quel(le) est votre/	Qual'è il Suo/	kwa·*lè* il *sou*·o/
ton... ?	tuo ...? pol/fam	*tou*·o ...
adresse	indirizzo	inn·di·*ri*·tso
adresse	indirizzo di	inn·di·*ri*·tso di
e-mail	email	é·mèl
numéro de fax	numero di fax	nou·mé·ro di faks
numéro de téléphone	numero di casa	nou·mé·ro di *ka*·za
numéro de	numero di	nou·mé·ro di
portable	cellulare	tché·lou·*la*·ré
numéro de téléphone	numero di	nou·mé·ro di
professionnel	lavoro	la·*vo*·ro

Se faire comprendre

Vous parlez/Tu parles (français) ?
 Parla/Parli (francese)? **pol/fam**   *par·la/par·li (frann·tchè·zé)*

Quelqu'un parle (français/anglais) ?
 C'è qualcuno che parla   tchè kwal·*kou*·no ké *par*·la
 (francese/inglese)?   (frann·*tchè*·zé/inn·*glè*·zé)

Vous comprenez ?
 Capisce? **pol**   ka·*pi*·ché

Je comprends.
 Capisco.   ka·*pi*·sko

Je ne comprends pas.
 Non capisco.   nonn ka·*pi*·sko

Je parle un peu.
 Parlo un po'.   *par*·lo ounn po

Que signifie "*vietato*"?
 Che cosa vuol dire 'vietato'?   ké *ko*·za vwol *di*·ré vyé·*ta*·to

Comment ... ?	*Come ... ?*	*ko·mé ...*
ça se prononce	*si pronuncia*	si pro·*nounn*·tcha
	questo	*kwè*·sto
écrit-on	*si scrive*	si *skri*·vé
"*arrivederci*"	*'arrivederci'*	ar·ri·vé·*dèr*·tchi

Pouvez-vous/Peux-tu...,	*Può/puoi ...*	pwo/pwoïl ...
s'il vous/te plaît ?	*per favore?* **pol/fam**	pér fa·*vo*·ré
répéter	*ripeterlo*	ri·pè·*tér*·lo
parler plus	*parlare più*	par·*la*·ré pyou
lentement	*lentamente*	lènn·ta·*mènn*·té
l'écrire	*scriverlo*	*skri*·vér·lo

À propos de vous

D'où venez-vous/viens-tu ?
Da dove viene/vieni? pol/fam

da *do·*vé vyè·né/vyè·ni

Je viens...	*Vengo ...*	*vènn·*go ...
de France	*dalla Francia*	*dal·*la *frann·*tcha
de Belgique	*dal Belgio*	dal *bèl·*djo
de Suisse	*dalla Svizzera*	*dal·*la *svi·*tsé·ra
du Canada	*dal Canada*	dal *ka·*na·da

Je suis...	*Sono ...*	*so·*no ...
marié(e)	*sposato/a* m/f	spo·*za·*to/a
séparé(e)	*separato/a* m/f	sé·pa·*ra·*to/a
célibataire	*celibe* m	*tchè·*li·bé
	nubile f	*nou·*bi·lé

Études et profession

Quel est votre/ton métier ?
Che lavoro fa/fai? pol/fam

ké la·*vo·*ro fa/faille

Je suis...	*Sono ...*	*so·*no ...
employé(e)	*impiegato/a* m/f	imm·pyé·*ga·*to/a
ouvrier(ère)	*operaio/a* m/f	o·pé·*ra·*yo/a
travailleur	*libero*	*li·*bé·ro
indépendant	*professionista*	pro·*fés·*syo·*ni·*sta

Je suis...	*Sono ...*	*so·*no ...
à la retraite	*pensionato/a* m/f	pènn·syo·*na·*to/a
au chômage	*disoccupato/a* m/f	di·zok·kou·*pa·*to/a

Je travaille dans...	*Lavoro nel campo...*	la·vo·ro nél *kamm*·po ...
l'administration	*dell'amministra-zione*	dél·lam·mi·ni·stra·tsyo·né
les relations publiques	*delle relazioni pubbliche*	*dèl·*lé ré·la·*tsyo*·ni *poub*·bli·ké
l'enseignement	*dell'insegnamento*	dél·*linn*·sé·*nya*·mènn·to
Je fais des études...	*Sto studiando...*	sto stou·*dyann*·do ...
de lettres	*lettere*	*lèt*·té·ré
de commerce	*commercio*	kom·*mèr*·tcho
d'ingénieur	*ingegneria*	inn·djé·nyé·*ri*·a

Âge

Quel âge...?	*Quanti anni...?*	*kwann*·ti *an*·ni ...
avez-vous/as-tu	*ha/hai* pol/fam	a/aille
a votre/ton fils	*ha Suo/tuo figlio* pol/fam	a *sou*·o/*tou*·o *fi*·lyo
a votre/ta fille	*ha Sua/tua figlia* pol/fam	a *sou*·a/*tou*·a *fi*·lya
J'ai ... ans.	*Ho ... anni.*	o ... *an*·ni

Pour connaître les chiffres, consultez le chapitre **EN DÉTAIL**, p. 67.

Sentiments et sensations

J'ai...	*Ho...*	o ...
J(e n)' ai (pas)...	*Non ho...*	(nonn) o...
Avez-vous/as-tu...?	*Ha/Hai...?* pol/fam	a/aille...
froid	*freddo*	*frèd*·do
faim	*fame*	*fa*·mé
sommeil	*sonno*	*son*·no

Je suis…	Sono …	so·no …
Je (ne) suis (pas)…	Non sono …	nonn so·no …
Êtes-vous/es-tu… ?	È/Sei …? pol/fam	è/seille…
content(e)	contento/a m/f	konn·tènn·to/a
heureux/heureuse	felice	fé·li·tché
inquiet/inquiète	preoccupato/a m/f	pré·ok·kou·pa·to/a

Croyances

Je (ne) suis (pas)…	(Non) sono …	(nonn) so·no …
agnostique	agnostico/a m/f	a·nyo·sti·ko/a
athée	ateo/a m/f	a·te·o/a
bouddhiste	buddista	boud·di·sta
catholique	cattolico/a m/f	kat·to·li·ko/a
hindouiste	indù	inn·dou
juif/juive	ebreo/a m/f	é·brè·o/a
musulman(e)	musulmano/a m/f	mou·soul·ma·no/a
orthodoxe	ortodosso/a m/f	or·to·dos·so/a
protestant(e)	protestante	pro·té·stann·té
croyant(e)	religioso/a m/f	ré·li·djo·zo/a

Climat

Quel temps fait-il ?	Che tempo fa?	ké tèmm·po fa
Il fait…	Fa…	fa…
froid	freddo	frèd·do
chaud	caldo	kal·do
beau	bel tempo	bèl tèmm·po
Il gèle.	Si gela.	si djè·la
Il pleut.	Piove.	pyo·vé
Il y a du vent.	Tira vento.	ti·ra vènn·to

VISITES
Sites touristiques

Que feriez-vous si vous n'aviez qu'un seul jour ?
Lei che farebbe se avesse   leille ké fa·*rèb*·bé sé a·*vès*·sé
solo una giornata pol   *so*·lo *ou*·na djor·*na*·ta

Avez-vous des informations sur des endroits du coin ?
Avete delle informazioni   a·*vè*·té *dèl*·lé inn·for·ma·*tsyo*·ni
su posti locali?   sou *po*·sti lo·*ka*·li

Je voudrais voir...
Vorrei vedere...   vor·*reille* vé·*dè*·ré...

Je n'ai qu'(un jour).
Ho solo (un giorno).   o *so*·lo (ounn *djor*·no)

Qu'est-ce que je dois voir absolument ?
Quali posti dovrei   *kwa*·li *po*·sti do·*vreille*
assolutamente vedere?   as·so·lou·ta·*mènn*·té vé·*dè*·ré

C'est quoi ?
Cos'è?   ko·*zè*

Qui l'a fait ?
Chi l'ha fatto?   ki la *fat*·to

Ça a combien d'années ?
Quanti anni ha?   *kwann*·ti *an*·ni a

Je voudrais...	Vorrei...	vor·*reille*...
des écouteurs	*un auricolare*	ounn a·ou·ri·ko·*la*·ré
un catalogue	*un catalogo*	ounn ka·*ta*·lo·go
un guide (personne)	*una guida*	*ou*·na *gwi*·da
un guide (livre)	*una guida*	*ou*·na *gwi*·da
en français	*in francese*	inn frann·*tchè*·zé
un plan	*una cartina*	*ou*·na kar·*ti*·na
du quartier	*della zona*	*dèl*·la *dzo*·na

13

Pouvez-vous me prendre en photo ?
Può farmi una foto? pol — pwo *far*·mi *ou*·na *fo*·to

Puis-je (vous) prendre en photo ?
Posso fare una foto (di Lei)? — pos·so fa·ré *ou*·na *fo*·to (di leille)

Je vous enverrai la photo.
Le spedirò la foto. — lé spé·di·ro la *fo*·to

Galeries et musées

À quelle heure ouvre... ?	*A che ora apre ...?*	a ké *o*·ra *a*·pré...
la galerie	*la galleria*	la gal·lé·*ri*·a
le musée	*il museo*	il mou·*zè*·o

Quelles sont les œuvres exposées ?
Quali sono le opere — *kwa*·li *so*·no lé *o*·pé·ré
qui esposte? — kwi é·*spo*·sté

C'est une exposition de...
È una mostra di ... — è *ou*·na *mo*·stra di ...

J'aime les œuvres de...
Mi piacciono le opere di ... — mi *pya*·tcho·no lé *o*·pé·ré di ...

Ça me rappelle...
Mi ricorda ... — mi ri·*kor*·da ...

l'art...	*l'arte ...*	*lar*·té
byzantin	*bizantina*	bi·dzann·*ti*·na
de la Renaissance	*rinascimentale*	ri·na·chi·mènn·*ta*·lé
gothique	*gotica*	*go*·ti·ka
moderne	*moderna*	mo·*dèr*·na
roman	*romanica*	ro·*ma*·ni·ka

VISITES

14

Billetterie

Combien coûte l'entrée ?
Quant'è il prezzo d'ingresso? kwann·tè il *prè*·tso dinn·*grès*·so

Ça coûte (7 euros).
Costa (sette euro). *ko*·sta (*sèt*·té è·ou·ro)

À quelle heure ça ouvre ?
A che ora apre? a ké *o*·ra *a*·pré

À quelle heure ça ferme ?
A che ora chiude? a ké *o*·ra *kyou*·dé

Y a-t-il une réduction pour… ?	*C'è uno sconto per…?*	tchè *ou*·no *skonn*·to pér…
les enfants	*bambini*	bamm·*bi*·ni
les étudiants	*studenti*	stou·*dènn*·ti
les groupes	*gruppi*	*group*·pi
les retraités	*pensionati*	pènn·syo·*na*·ti

Visites guidées

Pouvez-vous me conseiller… ?	*Può consigliarmi…?* pol	pwo konn·si·*lyar*·m
un tour	*una gita*	*ou*·na *dji*·ta
en bateau	*in barca*	inn *bar*·ka
une visite	*una gita*	*ou*·na *dji*·ta
touristique	*turistica*	tou·*ri*·sti·ka

À quelle heure part la prochaine excursion à la journée ?
A che ora parte la prossima a ké *o*·ra *par*·té la *pros*·si·ma
escursione alla giornata? é·skour·*syo*·né *al*·la djor·*na*·ta

...est-il compris ? *È incluso...?* è inn·*klou*·zo...
  l'hébergement *l'alloggio* lal·*lod*·djo
  le prix *il prezzo* il *prèt*·tso
    du billet *d'ingresso* dinn·*grès*·so
  le couvert *il vitto* il *vit*·to
  le transport *il trasporto* il tra·*spor*·to

Dois-je emporter... ?
Devo portare... con me? *dè*·vo por·*ta*·ré... konn mé

Le guide paiera.
La guida pagherà. la *gwi*·da pa·ghé·*ra*

Le guide a payé.
La guida ha pagato. la *gwi*·da a pa·*ga*·to

Combien de temps dure la visite ?
Quanto dura la gita? *kwann*·to *dou*·ra la *dji*·ta

À quelle heure serons-nous de retour ?
A che ora dovremmo a ké *o*·ra do·*vrèm*·mo
ritornare? ri·tor·*na*·ré

Je suis avec eux.
Sono con loro. *so*·no konn *lo*·ro

J'ai perdu mon groupe.
Ho perso il mio gruppo. o *pèr*·so il *mi*·o *group*·po

Avez-vous vu un groupe de (Français) ?
Ha visto un gruppo di a *vi*·sto ounn *group*·po di
(francesi)? pol (frann·*tchè*·zi)

Top 5 des excursions

Le rythme parfois trépidant de certaines villes italiennes peut être un peu fatigant. Pour se détendre, il fait bon quitter l'environnement urbain pour explorer des lieux culturels plus paisibles hors des sentiers battus.

Meilleures excursions depuis Rome :

Ostia Antica
o·stya ann·ti·ka

Port de Rome durant six siècles, Ostie offre la vision fascinante d'une cité romaine admirablement conservée grâce à son envasement.

Tivoli
ti·vo·li

Située sur une hauteur, la ville de Tivoli fut jadis une retraite prisée du patriciat romain. Passez la matinée à découvrir la somptueuse villa d'Hadrien, avec son bassin à poissons, sa caserne et ses temples. L'après-midi, vous pourrez pique-niquer dans les magnifiques jardins de la villa d'Este, un palais d'agrément du milieu du XVIe siècle.

Meilleures excursions depuis Florence :

Chianti
kyann·ti

Cette région vallonnée, célèbre pour ses vignobles, abrite villas, châteaux et villages perchés sur les collines dans un cadre pittoresque. Ne partez pas sans avoir visiter une exploitation viticole et déguster de bons crus.

Lucca
louk·ka

Lucques constitue un parfait havre de paix à l'écart du tumulte florentin. Ne manquez pas la splendide église romane San Michele et les mosaïques resplendissantes de l'église San Frediano.

Siena
syè·na

Construite sur trois collines flanquées de vallées fertiles, Sienne est une charmante ville médiévale hérissée de tours, organisée autour d'une superbe place du XIVe siècle.

Top 10 des sites

Du sud ensoleillé aux grandes métropoles du nord, l'Italie regorge de sites historiques témoignant de son glorieux passé. Il faudrait une vie entière pour en faire le tour, mais voici quelques incontournables :

VISITES

Pompei · pomm·pè·i
Mondialement connu, ce site archéologique proche de **Naples** fait partie des lieux touristiques les plus courus d'Italie. La ville romaine ensevelie sous les cendres par l'éruption du Vésuve en 79 fait toujours l'objet de fouilles. Passez une journée à déambuler dans ses rues et laissez travailler votre imagination.

Il Colosseo · il ko·los·sè·o
Ancien théâtre des sanglants jeux du cirque, le Colisée est devenu le symbole de **Rome**. Il pouvait accueillir à l'origine quelque 50 000 spectateurs.

La Città del Vaticano · la tchit·ta del va·ti·ca·no
Incontournable à **Rome**, la cité du Vatican est dominée par l'imposante basilique Saint-Pierre dessinée par Michel-Ange. Les musées du Vatican – riches de collections fabuleuses – englobe la fameuse chapelle Sixtine. Arrivez tôt pour éviter la foule.

La Torre Pendente di Pisa · la tor·ré pènn·dènn·té di pi·za
Jamais accident architectural n'a eu autant de succès. Après 12 ans de travaux, on peut désormais monter dans la tour penchée de **Pise** en toute sécurité.

Il Duomo di Firenze · il dwo·mo di fi·rènn·tsé
Témoin de la prospérité et de la suprématie politique toscanes à la Renaissance, l'impressionnante cathédrale de **Florence** domine les édifices environnants de sa merveilleuse coupole ocre rouge. Pour un panorama imprenable sur la ville, montez au sommet du campanile attenant.

Il Ponte Vecchio   *il ponn·té vèk·kyo*

Ce pont de **Florence** qui enjambe l'Arno en son point le plus étroit constitue un lieu de promenade romantique de jour comme de nuit. Aujourd'hui bordé d'échoppes de bijoutiers, il abritait jusqu'au XVIe siècle des boucheries et des tanneries.

Gli Uffizi   *lyi ouf·fi·tsi*

Il faudra vous lever très tôt afin d'éviter la longue file d'attente devant ce grand musée de **Florence**, mais le jeu en vaut la chandelle tant il contient de fleurons de l'art italien. Même les profanes reconnaîtront, entre autres œuvres illustres, la *Naissance de Vénus* de Botticelli et la *Vénus d'Urbin* du Titien.

La Basilica di San Marco   *la ba·zi·li·ka di sann mar·co*

Trônant sur la place du même nom, la majestueuse basilique Saint-Marc de **Venise** mêle les styles byzantin, roman, gothique et Renaissance, trahissant ainsi le cosmopolitisme de l'ancienne cité des Doges. L'intérieur de l'édifice s'orne de trésors issus notamment du sac de Constantinople.

Il Duomo di Milano   *il dwo·mo di mi·la·no*

La cathédrale de **Milan**, colosse gothique dont la construction dura plus de quatre siècles, comprend 135 flèches et 3 200 statues, rien que sur sa toiture et sa façade.

La Scala   *la ska·la*

Le fameux opéra de **Milan**, avec ses rangées de loges garnies de rideaux, offre un cadre de rêve pour écouter les plus grands talents lyriques d'Europe. Si vous n'assistez pas à une représentation, vous pourrez toujours visiter le musée attenant qui expose des curiosités du monde musical comme le moulage en plâtre des mains de Chopin. Le droit d'entrée permet de jeter un œil à la salle.

SHOPPING
Renseignements

Où puis-je trouver… ? *Dov'è … ?* do·vè
   une banque *una banca* ou·na bann·ka
   une pâtisserie *una pasticceria* ou·na pa·sti·tché·ri·a
   un supermarché *un supermercato* ounn sou·pér·mér·ka·to

Où puis-je acheter… ?
Dove posso comprare …? do·vé pos·so komm·pra·ré

Je voudrais acheter…
Vorrei comprare … vor·reille komm·pra·ré …

En avez-vous d'autres ?
Ne avete altri? né a·vè·té al·tri

Puis-je jeter un coup d'œil ?
Posso dare un'occhiata? pos·so da·ré ou·nok·kya·ta

Je ne fais que regarder.
Sto solo guardando. sto so·lo gwar·dann·do

Pouvez-vous l'emballer, s'il vous plaît ?
Può incartarlo, pwo inn·kar·tar·lo
per favore? pér fa·vo·ré

Il y a une garantie ?
Ha la garanzia? a la ga·rann·tsi·a

Pouvez-vous l'expédier à l'étranger ?
Può spedirlo all'estero? pwo spé·dir·lo al·lè·sté·ro

Puis-je le prendre plus tard ?
Posso ritirarlo più tardi? pos·so ri·ti·rar·lo pyou tar·di

Il/Elle est cassé(e).
È rotto/a. m/f è rot·to/a

Je voudrais…,	Vorrei …	vor·reille …
s'il vous plaît.	per favore.	pér fa·vo·ré
changer ceci	cambiare	kamm·bya·ré
	questo/a m/f	kwè·sto/a
rendre ceci	restituire	ré·sti·tou·i·ré
	questo/a m/f	kwè·sto/a

Hauts lieux du shopping

En Italie, les inconditionnels du shopping auront l'embarras du choix. Souvenirs originaux ou pièce incontournable du stylisme italien, laissez-vous tenter dans ces quartiers commerçants réputés :

Piazza di Spagna, Rome – grandes marques de la mode • accessoires • bijoux • articles pour la maison

Via del Governo Vecchio, Rome – vêtements d'occasion • nouveaux stylistes romains

Via dei Coronari, Via Margutta, Rome – antiquités • art • souvenirs originaux

Centre médiéval, Florence – vêtements de couturiers • chaussures • bijoux

Oltrarno, Florence – artisanat local • art

San Polo, Venise – masques de carnaval • costumes • céramiques • maquettes de gondoles

Nord de la place Saint-Marc, Venise – vêtements • chaussures • accessoires

Quadrilatère d'or, Milan – prêt-à-porter de luxe • accessoires • chaussures en cuir • bijoux

Argent

Combien ça coûte ?
Quanto costa questo? kwann·to ko·sta kwè·sto

Pouvez-vous écrire le prix ?
Può scrivere il prezzo? pwo skri·vé·ré il prè·tso

Pouvez-vous me donner de plus petites coupures ?
Mi può dare banconote mi pwo da·ré bann·ko·no·té
più piccole? pyou pik·ko·lé

C'est trop cher.
È troppo caro/a. m/f è trop·po ka·ro/a

Pouvez-vous me faire une réduction ?
Può farmi lo sconto? pwo far·mi lo skonn·to

Avez-vous quelque chose de moins cher ?
Ha qualcosa di meno a kwal·ko·za di mè·no
costoso? ko·sto·zo

Acceptez-vous…?	*Accettate …?*	a·tchét·ta·té …
les cartes	*la carta di*	la kar·ta di
de crédit	*credito/debito*	krè·di·to/dè·bi·to
les chèques	*gli assegni di*	lyi as·sè·nyi di
de voyage	*viaggio*	di vya·djo
Je voudrais…,	*Vorrei …,*	vor·reille …
s'il vous plaît.	*per favore.*	pér fa·vo·ré
ma monnaie	*il mio resto*	il mi·o rè·sto
être remboursé(e)	*un rimborso*	ounn rimm·bor·so
un reçu	*una*	ou·na
	ricevuta	ri·tché·vou·ta

Pour en savoir plus sur la banque, consulter le chapitre **SERVICES**, p. 42.

SHOPPING

Vêtements et chaussures

Je recherche…	Sto cercando …	sto tchér·kann·do …
des jeans	dei jeans	deille djinns
des chaussures	delle scarpe	dèl·lé skar·pé
de la lingerie	della biancheria	dèl·la byann·ké·ri·a
	intima	inn·ti·ma

Est-ce que je peux l'essayer ?
Posso provarmelo/a? m/f   *pos·so pro·var·mé·lo/a*

Je fais du (42).
Sono una taglia   *so·no ou·na ta·lya*
(quarantadue).   (kwa·rann·ta·dou·é)

Ça ne me va pas.
Non va bene.   nonn va bè·né

S	piccola	pik·ko·la
M	media	mè·dya
L	forte	for·té

C'est trop…	È troppo …	è trop·po
grand	grande	grann·dé
petit	piccolo	pik·ko·lo
étroit	stretto	strèt·to

Livres et musique

Y a-t-il une librairie (spécialisée en langue française) ?
C'è una libreria   tché ou·na li·bré·ri·a
(specializzata in   (spé·tcha·li·dza·ta inn
lingua francese)?   linn·gwa frann·tchè·zé)

Y a-t-il un rayon (de langue française) ?
C'è un reparto   tché ounn ré·par·to
(di lingua francese)?   (di linn·gwa frann·tchè·zé)

Avez-vous...	Avete ...	a·vè·té
un livre de...	un libro di ...	ounn *li*·bro di ...
un guide des	una guida agli	*ou*·na *gwi*·da *a*·lyi
spectacles	spettacoli	spét·*ta*·ko·li

Je voudrais...	Vorrei ...	vor·*reille* ...
un plan de la	una pianta della	*ou*·na pyann·ta *dèl*·la
ville	città	tchit·*ta*
une carte	una cartina	*ou*·na kar·*ti*·na
(routière)	stradale	stra·*da*·lé
un journal	un giornale	ounn djor·*na*·lé
(en français)	(in francese)	(inn frann·*tchè*·zé)
un stylo	una penna	*ou*·na *pèn*·na
une carte postale	una cartolina	*ou*·na kar·to·*li*·na

Je voudrais...	Vorrei ...	vor·*reille* ...
une cassette	una cassetta	*ou*·na kas·*sèt*·ta
vierge	vuota	*vwo*·ta
un CD	un cidì	ounn tchi·*di*
un casque	delle cuffie	*dèl*·lé kouf·fyé

Je cherche un CD de... *Sto cercando un* sto tchér·*kann*·do ounn
cidì di ... tchi·*di* di ...

J'ai entendu un groupe qui s'appelle...
Ho sentito un gruppo o sénn·*ti*·to ounn *group*·po
chiamato ... kya·*ma*·to

Quel est son meilleur morceau ?
Qual'è la sua migliore kwa·*lè* la *sou*·a mi·*lyo*·ré
incisione? inn·tchi·*zyo*·né

Pourrais-je écouter ça ?
Potrei ascoltare questo? po·*treille* a·skol·*ta*·ré kwè·sto

24

Photographie

Je voudrais…	Vorrei	vor·reille
une pellicule	*un rullino*	ounn roul·*li*·no
pour cet	*per questa*	pér *kwè*·sta
appareil-photo	*macchina*	*mak*·ki·na
	fotografica.	fo·to·*gra*·fi·ka
noir et blanc	*in bianco e nero*	inn *byann*·ko é *nè*·ro
couleurs	*a colori*	a ko·*lo*·ri
pour diapositives	*per diapositive*	pér dya·po·zi·*ti*·vé
(100) ASA	*di (cento) ASA*	di (*tchènn*·to) *a*·za

Pourriez-vous… ?	Potrebbe …?	po·*trèb*·bé …
développer	*sviluppare*	svi·loup·*pa*·ré
cette pellicule	*questo rullino*	*kwè*·sto roul·*li*·no
insérer	*inserire il*	inn·sé·*ri*·ré il
la pellicule	*mio rullino*	*mi*·o roul·*li*·no

Combien ça coûte pour faire développer cette pellicule ?

Quanto costa sviluppare — kwann·to *ko*·sta svi·loup·*pa*·ré

questo rullino? — *kwè*·sto roul·*li*·no

Ce sera prêt quand ?

Quando sarà pronto? — kwann·do sa·*ra* pronn·to

Est-ce que vous développez les photos en une heure ?

Si offre il servizio — si *of*·fré il sér·*vi*·tsyo

sviluppo e stampa in — svi·*loup*·po é *stamm*·pa inn

un ora? — ou·*no*·ra

Ces photos ne me plaisent pas.

Non mi piacciono — nonn mi *pya*·tcho·no

queste foto. — *kwè*·sté *fo*·to

25

SORTIES
Au programme

Français	Italiano	Prononciation
Qu'y a-t-il au programme…?	Che c'è in programma …?	ké tché inn pro·*gram*·ma …
aujourd'hui	oggi	o·dji
ce soir	stasera	sta·*sè*·ra
dans le quartier	in zona	inn *dzo*·na
ce week-end	questo	*kwè*·sto
	fine settimana	fi·né sét·ti·*ma*·na
Où y a-t-il… ?	Dove ci sono …?	do·vé tchi *so*·no …
des bars	dei locali	deille lo·*ka*·li
des cafés	dei bar	deille bar
des clubs	dei clubs	deille kloubs
des bars gay	dei locali gay	deille lo·*ka*·li gueille
des lieux où manger	posti in cui mangiare	*po*·sti inn kwi mann·*dja*·ré
des pubs	dei pub	deille pab
Y a-t-il un guide … de la ville ?	C'è una guida … in questa città?	tché ou·na *gwi*·da … inn *kwè*·sta tchit·*ta*
des spectacles	agli spettacoli	a·lyi spét·*ta*·ko·li
des films	ai film	aille film
J'ai envie d'aller…	Ho voglia d'andare …	o *vo*·lya dann·*da*·ré …
au restaurant	in un ristorante	inn ounn ri·sto·*rann*·té
au théâtre	al teatro	al té·*a*·tro
dans un bar	in un locale	inn ounn lo·*ka*·lé
dans un café	in un bar	inn ounn bar
à un concert	a un concerto	a ounn konn·*tchèr*·to
à une fête	a una festa	a ou·na *fè*·sta
dans un pub	in un pub	inn ounn pab
en boîte de nuit	in un locale notturno	inn ounn lo·*ka*·lé not·*tour*·no

Rendez-vous

On se retrouve à quelle heure ?
A che ora ci vediamo?   a ké *o*·ra tchi vé·*dya*·mo

On se retrouve où ?
Dove ci vediamo?   *do*·vé tchi vé·*dya*·mo

Rendez-vous...	*Incontriamoci ...*	inn·konn·tri·*a*·mo·tchi ...
à (8h)	*alle (otto)*	*al*·lé (*ot*·to)
à l'entrée	*all'entrata*	al·lènn·*tra*·ta

Centres d'intérêt

Que fais-tu de tes loisirs ?
Cosa fai nel tuo   *ko*·za faille nél *tou*·o
tempo libero?   *tèmm*·po *li*·bé·ro

Tu aimes... ?	*Ti piace...?*	ti *pya*·tché...
danser	*ballare*	bal·*la*·ré
aller	*andare ai*	ann·*da*·ré aille
au concert	*concerti*	konn·*tchèr*·ti
écouter	*ascoltare*	a·skol·*ta*·ré
de la musique	*la musica*	la *mou*·zi·ka
J(e n)'aime (pas)...	*(Non) Mi piacciono...*	(nonn) mi *pya*·tcho·no...
les films d'action	*i film d'azione*	i film da·*tsyo*·né
les films d'animation	*i film animati*	i film a·ni·*ma*·ti
les films de science-fiction	*i film di fantascienza*	i film di fann·ta·*chènn*·tsa

RESTAURANT

petit-déjeuner	*prima colazione* f	*pri·ma ko·la·tsyo·né*
déjeuner	*pranzo* m	*prann·dzo*
dîner	*cena* f	*tchè·na*
en-cas	*spuntino* m	spounn·*ti*·no

Réservation

Où iriez-vous	*Dove andrebbe*	*do*·vé ann·*drèb*·bé
pour… ?	*per…*	pér…
un dîner	*un pranzo*	ounn *prann*·dzo
d'affaires	*d'affari*	daf·*fa*·ri
un repas	*un pasto*	ounn *pa*·sto
bon marché	*economico*	é·ko·*no*·mi·ko
manger	*mangiare*	mann·*dja*·ré
des spécialités	*delle specialità*	*dèl*·lé spé·tcha·li·*ta*
locales	*locali*	lo·*ka*·li
une fête	*una*	*ou*·na
	celebrazione	tché·lé·bra·*tsyo*·né
Je voudrais	*Vorrei*	vor·*reille*
une table…,	*un tavolo…,*	ounn *ta·vo·*lo…
s'il vous plaît.	*per favore.*	pér fa·*vo*·ré
pour (4)	*per (quattro)*	pér (*kwat*·tro)
pour (8h)	*per (le otto)*	pér (lé *ot*·to)
(non-)fumeurs	*(non) fumatori*	(nonn) fou·ma·*to*·ri

Quel restaurant choisir ?

La cuisine italienne, délicieuse et raffinée, est souvent onéreuse. Si votre budget est limité, choisissez d'explorer l'un des endroits suivants :

bar/caffè   bar/kaf·*fè*

sert des boissons, mais également des sandwichs et des en-cas pour combler un petit creux

osteria/trattoria   o·sté·*ri*·a/trat·to·*ri*·a

choix de plats simples et de spécialités locales

paninoteca   pa·ni·no·*tè*·ka

on y mange de délicieux sandwichs à base de fromage, tomates, charcuterie, etc.

tavola calda   *ta*·vo·la *kal*·da

propose des spécialités locales, des pizzas, de la viande rôtie et des salades

pizzeria   pi·tsé·*ri*·a

spécialisée dans la vente de pizzas et de *calzoni* (pizza pliée en deux, fourrée de toutes sortes d'ingrédients), habituellement préparés au feu de bois

ristorante   ri·sto·*rann*·té

un établissement plus sophistiqué – avec un service de qualité, un menu plus cher et une bonne carte des vins

Commander

Qu'est-ce que vous me conseillez ?
Cosa mi consiglia?   *ko*·za mi konn·*si*·lya

Je voudrais…,	*Vorrei,*	vor·*reille,*
s'il vous plaît.	*per favore.*	pér fa·*vo*·ré
l'addition	*il conto*	il *konn*·to
le menu	*il menù*	il mé·*nou*
la carte des vins	*la lista dei vini*	la *li*·sta deille *vi*·ni

29

Je voudrais…,	Vorrei …,	vor·*reille* …,
s'il vous plaît.	per favore.	pér fa·*vo*·ré
du poulet	il pollo	il *pol*·lo
du poivre	il pepe	il *pè*·pé
du sel	il sale	il *sa*·lé
le menu	il menù fisso	il mé·*nou fis*·so
une serviette	un tovagliolo	ounn to·va·*lyo*·lo
Je le/la voudrais…	Lo/La vorrei… m/f	lo/la vor·*reille*…
pas trop cuit(e)	non troppo	nonn *trop*·po
	cotto/a m/f	*kot*·to/a
saignant(e)	al sangue	al *sann*·gwé
bien cuit(e)	ben cotto/a m/f	bènn *kot*·to/a
sans sauce	senza condimento	*sènn*·tsa
		konn·di·*mènn*·to

Boissons non alcoolisées

(un) café…	(un) caffè …	(ounn) kaf·*fè* …
(un) thé…	(un) tè …	(ounn) tè …
avec du lait	con latte	konn *lat*·té
sans sucre/	senza/con	*sènn*·tsa/konn
sucré	zucchero	*tsouk*·ké·ro
jus d'orange	succo m	*souk*·ko
(en bouteille)	d'arancia	da·*rann*·tcha
jus d'orange	spremuta f	spré·*mou*·ta
(pressé)	d'arancia	da·*rann*·tcha
soda	bibita f	*bi*·bi·ta
eau…	acqua f…	*a*·kwa…
chaude	calda	*kal*·da
naturelle	naturale	na·tou·*ra*·lé
pétillante	frizzante	fri·*tsann*·té

Cafés à la carte

L'Italie est le paradis des amateurs de cafés, que vous l'aimiez noir, au lait, serré, crémeux ou relevé d'une pointe de liqueur…

caffè alla valdostana kaf·fè al·la val·do·sta·na
avec de la grappa, un zeste de citron et des épices

caffè americano kaf·fè a·mé·ri·ka·no
noir, allongé

caffè corretto kaf·fè kor·rèt·to
avec un peu de liqueur

caffè doppio kaf·fè dop·pyo
noir, fort et allongé

caffè macchiato kaf·fè mak·kya·to
avec un peu de lait

caffè ristretto kaf·fè ri·strèt·to
café noir très serré

caffellatte kaf·fè·lat·té
café au lait – habituellement consommé au petit-déjeuner

cappuccino kap·pou·tchi·no
café au lait, servi avec beaucoup de mousse et saupoudré de cacao – servi le matin

espresso é·sprèss·so
café noir, serré

Boissons alcoolisées

bière pression	*birra* f *alla spina*	*bir·ra al·la spi·na*
cognac	*cognac* m	*ko·nyak*
champagne	*champagne* m	*shamm·pa·nyé*
cocktail	*cocktail* m	*kok·tél*

... de bière	... di birra	... di *bir*·ra
une bouteille	una bottiglia	*ou*·na bot·*ti*·lya
un verre	un bicchiere	ounn bik·*kyè*·ré
une gorgée	un sorso	ounn *sor*·so
une bouteille	una bottiglia	*ou*·na bot·*ti*·lya
de vin...	di vino...	di *vi*·no
un verre	un bicchiere	ounn bik·*kyè*·ré
de vin...	di vino...	di *vi*·no
rouge	rosso	*ros*·so
mousseux	spumante	spou·*mann*·té
blanc	bianco	*byann*·ko

Au bar

RESTAURANT

Je prendrais (un gin).	Prendo (un gin).	*prènn*·do (ounn djinn)
Un autre,	Un altro,	ounn *al*·tro
s'il vous plaît.	per favore.	pér fa·*vo*·ré
Je t'offre un verre.	Ti offro da bere.	ti *of*·fro da *bè*·ré
Tu prends quoi ?	Cosa prendi?	*ko*·za *prènn*·di
C'est ma tournée.	Offro io.	*of*·fro *i*·o
Santé !	Salute!	sa·*lou*·té

Faire ses courses

Quelle est la spécialité de la région ?
Qual'è la specialità   kwa·*lè* la spé·tcha·li·*ta*
di questa regione?   di *kwè*·sta ré·*djo*·né
C'est quoi ?
Cos'è?   ko·*zè*

Combien coûte (un kilo) ?
Quanto costa (un chilo)?   kwann·to *ko*·sta (ounn *ki*·lo)

J'aimerais bien un peu de ça.
Mi piacerebbe   mi pya·tché·*rèb*·bé
un po' di quello.   ounn po di *kwèl*·lo

Je voudrais un peu de ça.
Vorrei un po' di quelli.   vor·*reille* ounn po di *kwèl*·li

Je voudrais…	*Vorrei…*	vor·*reille…*
100 grammes	*un etto*	ou·*nèt*·to
(2) kilos	*(due) chili*	(*dou*·é) *ki*·li
(3) morceaux	*(tre) pezzi*	(tré) *pè*·tsi
(6) tranches	*(sei) fette*	(seille) *fèt*·té

Ça suffit, merci.	*Basta, grazie.*	*ba*·sta *gra*·tsyé
Un peu plus.	*Un po' di più.*	ounn po di pyou
Moins.	*(Di) Meno.*	(di) *mè*·no

Allergies et régimes spéciaux

Y a-t-il un restaurant (végétarien) près d'ici ?
C'è un ristorante   tchè ounn ri·sto·*rann*·té
(vegetariano) qui vicino?   vé·djé·ta·*rya*·no kwi vi·*tchi*·no

Avez-vous des plats (végétariens) ?
Avete piatti (vegetariani)?   a·*vè*·té *pyat*·ti (vé·djé·ta·*rya*·ni)

Pourriez-vous préparer	*Potrebbe preparare*	po·*trèb*·bé pré·pa·*ra*·ré
un repas sans… ?	*un pasto senza…?*	ounn *pa*·sto *sènn*·tsa …
beurre	*burro*	*bour*·ro
œufs	*uova*	*wo*·va
bouillon de	*brodo*	*bro*·do
viande	*di carne*	di *kar*·né

Je suis végétalien(ne).
Sono vegetaliano/a. m/f — *so·no vé·djé·ta·lya·no/a*

Je suis allergique...   *Sono allergico/a...* m/f   *so·no al·lèr·dji·ko/a...*

à la caféine	*alla caffeina*	*al·la kaf·fé·i·na*
aux produits laitiers	*ai latticini*	*aille lat·ti·tchi·ni*
aux œufs	*alle uova*	*al·lé wo·va*
au gluten	*al glutine*	*al glou·ti·né*
aux noix	*alle noci*	*al·lé no·tchi*
aux fruits de mer	*ai frutti di mare*	*aille frout·ti di ma·ré*

Pour en savoir plus sur les allergies, reportez-vous p. 66 et 70.

Au menu

RESTAURANT

Antipasti	*ann·ti·pa·sti*	**hors-d'œuvre**
Primi (piatti)	*pri·mi (pyat·ti)*	**entrées**
Zuppe	*tsoup·pé*	**soupes**
Insalate	*inn·sa·la·té*	**salades**
Secondi (piatti)	*sé·konn·di (pyat·ti)*	**plats principaux**
Dolci	*dol·tchi*	**desserts**
Bevande	*bé·vann·dé*	**boissons**
Aperitivi	*a·pé·ri·ti·vi*	**apéritifs**
Birre	*bir·ré*	**bières**
Vini frizzanti	*vi·ni fri·tsann·ti*	**vins pétillants**
Vini bianchi	*vi·ni byann·ki*	**vins blancs**
Vini rossi	*vi·ni ros·si*	**vins rouges**
Vini da dessert	*vi·ni da dés·sèr*	**vins à dessert**
Liquori	*li·kwo·ri*	**liqueurs**

34   Pour en savoir plus, consultez le **Lexique culinaire**, ci-contre.

Lexique culinaire

acciughe f pl	a·*tchou*·gué	anchois (souvent saumurés)
aceto m	a·*tché*·to	vinaigre
affumicato/a m/f	af·fou·mi·ka·to/a	fumé(e)
aglio m	a·lyo	ail
agnello m	a·*nyèl*·lo	agneau
al dente	al *dènn*·té	littéralement "à la dent" – se dit des pâtes et du riz encore fermes après la cuisson
al forno	al *for*·no	cuit au four, avec de l'ail et parfois des pommes de terre
al sangue	al *sann*·gwé	saignant(e)
al vapore	al va·*po*·ré	à la vapeur
alla amatriciana	*al*·la a·ma·tri·*tcha*·na	sauce tomate épicée, avec du lard, des poivrons et du fromage
alla diavola	*al*·la *dya*·vo·la	plat épicé
alla napoletana	*al*·la na·po·lé·*ta*·na	de ou à la mode de Naples – avec de l'ail et des tomates
antipasto m	ann·ti·*pa*·sto	hors d'œuvre
aragosta f	a·ra·*go*·sta	langouste • homard
arancini m pl	a·rann·*tchi*·ni	boulettes de riz farcies de viande
aringa f	a·*rinn*·ga	hareng
arista f	a·*ri*·sta	carré de porc
aromi m pl	a·*ro*·mi	aromates
arrabbiata, all'	ar·rab·*bya*·ta, al	"en colère" – avec une sauce épicée

babà m	ba·*ba*	baba (au rhum) avec des raisins secs
baccalà m	bak·ka·*la*	morue séchée
baci m pl	*ba*·tchi	litt : "baisers" – chocolats • type de pâtisserie ou de biscuit
bagna f **cauda**	*ba*·nya *ca*·ou·da	sorte de fondue aux anchois, à l'huile d'olive et à l'ail servie avec des légumes crus
basilico m	ba·*zi*·li·ko	basilic
ben cotto/a m/f	bènn *kot*·to/a	bien cuit(e)
besciamella f	bé·cha·*mèl*·la	sauce béchamel
bistecca f	bi·*sték*·ka	steak
bollito m	bol·*li*·to	bouilli
braciola f	bra·*tcho*·la	côtelette
brioche m	bri·*o*·che	viennoiserie
brodo m	*bro*·do	bouillon
bruschetta f	brou·*skét*·ta	tranche de pain grillée, frottée d'ail et assaisonnée avec du sel, du poivre et de l'huile d'olive
budino m	bou·*di*·no	flan
busecca f	bou·*zék*·ka	tripes
cacciucco m	ka·*tchouk*·ko	soupe de poisson faite
(**alla livornese**)	(*al*·la li·vor·*né*·zé)	avec au moins cinq poissons différents
calzone m	kal·*tso*·né	pâte à pizza pliée en deux, fourrée de toutes sortes d'ingrédients et cuite au feu de bois
cannella f	ka·*nèl*·la	cannelle
cannelloni m pl	kan·nél·*lo*·ni	pâtes en forme de cigare farcies d'épinards, de viande hachée, de jambon, d'œufs, de parmesan et d'épices

cantarelli m pl	kann·ta·*rèl*·li	chanterelles (champignons)
cantucci m pl	kann·*tou*·tchi	biscuits croquants, à l'anis et aux amandes
caponata f	ka·po·*na*·ta	hors-d'œuvre de légumes cuits à l'huile et au vinaigre – servi avec des olives, des anchois et des câpres
carciofi m pl	kar·*tcho*·fi	artichauts
ciabatta f	tcha·*bat*·ta	pain croustillant, plat et rond
cioccolato m	tchok·ko·*la*·to	chocolat
coda f	*ko*·da	queue • lotte (de mer)
conchiglie f pl	konn·*ki*·lyé	pâtes alimentaires en forme de coquillages
condimento m	konn·di·*mènn*·to	assaisonnement
contorno m	konn·*tor*·no	garniture • légumes
costine f pl	ko·*sti*·né	côtelettes
cotto/a m/f	*kot*·to/a	cuit(e)
cozze f pl	*ko*·tsé	moules
crespella f	kré·*spèl*·la	crêpe
crostata f	kro·*sta*·ta	tarte sucrée
crostini m pl	kro·*sti*·ni	tranches de pain grillé garnies de mets salés
crudo/a m/f	*krou*·do/a	cru(e)
della casa	*dèl*·la *ka*·za	litt : "de la maison" – spécialité du chef
dolce	*dol*·tché	dessert • sucré(e) • doux/douce
erbe f pl	*èr*·bé	fines herbes
fagiano m	fa·*dja*·no	faisan
fagioli m pl	fa·*djo*·li	haricots – habituellement secs
farcito m	far·*tchi*·to	plat farci

farfalle f pl	far·*fal*·lé	pâtes en forme de papillon
farinata f	fa·ri·*na*·ta	pain plat et mince, à base de farine de pois chiches
fetta f	*fèt*·ta	tranche de viande, fromage, etc.
fettuccine f pl	fét·tou·*tchi*·né	pâtes en forme de longs rubans
filetto m	fi·*lèt*·to	filet
focaccia f	fo·*ka*·tcha	pain plat souvent rempli de fromage, de jambon, de légumes et d'autres ingrédients
formaggio m	for·*ma*·djo	fromage
fragole f pl	fra·go·lé	fraises
fresco/a m/f	frè·sko/a	frais/fraîche
frittata f	frit·*ta*·ta	omelette, servie froide ou chaude
frittelle f pl	frit·*tèl*·lé	beignets
fritto/a m/f	*frit*·to/a	frit(e)
frumento m	frou·*mènn*·to	froment
frutta f	*frout*·ta	fruits • dessert
frutti m pl *di mare*	*frout*·ti di *ma*·ré	fruits de mer
funghi m pl	*founn*·gui	champignons
gambero m	*gamm*·bé·ro	écrevisse • homard
gamberoni m pl	gamm·bé·*ro*·ni	crevettes
gelato m	djé·*la*·to	glace
gnocchi m pl	*nyok*·ki	petites boulettes de pâte, souvent à base de pommes de terre
gorgonzola f	gor·gonn·*dzo*·la	fromage de vache persillé, à pâte molle
granita f	gra·*ni*·ta	glace pilée au sirop
grappa f	*grap*·pa	moût de raisin distillé
insalata f	inn·sa·*la*·ta	salade

38

involtini m pl	inn·vol·*ti*·ni	rouleaux de viande ou de poisson
lenticchie f pl	lènn·*tik*·kyé	lentilles
lievito m	*lyè*·vi·to	levure
limone m	li·*mo*·né	citron
lingua f	*linn*·gwa	langue
linguine f pl	linn·*gwi*·né	rubans de pâtes longs et minces
luganega f	lou·*ga*·né·ga	saucisse de porc
lumache f pl	lou·*ma*·ké	escargots
maccheroni m pl	mak·ké·*ro*·ni	pâtes en forme de tube
marinato/a m/f	ma·ri·*na*·to/a	mariné(e)
mascarpone m	ma·skar·*po*·né	fromage à pâte molle, très crémeux
melanzane f pl	mé·lann·*dza*·né	aubergines
minestra f	mi·*nè*·stra	terme général indiquant la soupe
minestrone m	mi·né·*stro*·né	soupe de légumes verts, avec parfois des pâtes ou du riz, des lardons et de la couenne
misto/a m/f	*mi*·sto/a	mixte
noce m	*no*·tché	noix
non troppo	nonn *trop*·po	pas trop
olio m	*o*·lyo	huile – presque toujours de l'huile d'olive
ossobuco m	os·so·*bou*·ko	osso buco
ostriche f pl	*o*·stri·ké	huîtres
pancetta f	pann·*tchèt*·ta	lard
pane m	*pa*·né	pain
panino m	pa·*ni*·no	sandwich

panzanella	pann·tsa·*nèl*·la	pain toscan avec de la sauce tomate, des oignons, de la salade, des anchois, du basilic, de l'huile d'olive, du vinaigre et du sel
patate f pl	pa·*ta*·té	pommes de terre
pecorino m (romano)	pé·ko·*ri*·no (ro·*ma*·no)	fromage de brebis épicé, à pâte dure
penne f pl	*pèn*·né	pâtes courtes en forme de tube
peperoni m pl	pé·pé·*ro*·ni	poivrons
pesto m	*pè*·sto	sauce préparée avec du basilic frais, des pignons, de l'huile d'olive, de l'ail, du fromage et du sel
polenta f	po·*lènn*·ta	polenta
polpette f pl	pol·*pét*·té	boulettes de viande
pomodori m pl	po·mo·*do*·ri	tomates
peperoncini m pl	pé·pé·ronn·*tchi*·ni	piment
prosciutto m	pro·*chout*·to	jambon dont les tranches sont coupées le plus fin possible
quattro formaggi	*kwat*·tro for·*ma*·dji	sauce faite avec quatre fromages différents
quattro stagioni	*kwat*·tro sta·*djo*·ni	pizza préparée avec différents ingrédients sur chaque quart
ragù m	ra·*gou*	sauce tomate à la viande, mais parfois aux légumes
ravioli m pl	ra·*vyo*·li	carrés de pâtes habituellement farcis de viande, de parmesan et de chapelure

rigatoni m pl	ri·ga·*to*·ni	pâtes courtes en forme de gros tubes
ripieno m	ri·*pyè*·no	farce
riso m	*ri*·zo	riz
risotto m	ri·*zot*·to	plat à base de riz cuit lentement dans un bouillon
rucola f	*rou*·ko·la	roquette
salsa f	*sal*·sa	sauce
salsiccia f	sal·*si*·tcha	saucisse
spaghetti m pl	spa·*guèt*·ti	pâtes fines et longues
spalla f	*spal*·la	épaule
speck m	spék	type de jambon fumé
suppa f	*soup*·pa	soupe
tacchino m	tak·*ki*·no	dinde
tagliatelle f	ta·lya·*tèl*·lé	pâtes en forme de longs rubans
tartufo m	tar·*tou*·fo	truffe
tiramisù m	ti·ra·mi·*sou*	dessert composé de biscuits trempés dans le café, de mascarpone et de cacao
torta f	*tor*·ta	gâteau • tarte
tortellini m pl	tor·tél·*li*·ni	pâtes farcies de viande, de parmesan et d'œufs
uova m pl	*wo*·va	œufs
uva f	*ou*·va	raisin(s)
verdura/e f/f pl	vér·*dou*·ra/é	légumes
vino m **della casa**	*vi*·no dèl·la *ka*·za	vin en pichet
vitello m	vi·*tèl*·lo	veau
vongole f pl	*vonn*·go·lé	palourdes
zucca f	*tsouk*·ka	potiron
zucchero m	*tsouk*·ké·ro	sucre
zuppa f	*tsoup*·pa	potage

SERVICES
Poste

Je voudrais envoyer un(e)...	*Vorrei mandare un/una...* m/f	vor·*reille* mann·*da*·ré ounn/*ou*·na...
fax	*fax* m	faks
lettre	*lettera* f	*lèt*·té·ra
colis	*pacchetto* m	pak·*kèt*·to
carte postale	*cartolina* f	kar·to·*li*·na
Je voudrais acheter...	*Vorrei comprare...*	vor·*reille* komm·*pra*·ré...
un aérogramme	*un aerogramma*	ou·na·é·ro·*gram*·ma
une enveloppe	*una busta*	*ou*·na bou·sta
des timbres	*dei francobolli*	deille frann·ko·*bol*·li
Envoyez-le (à Rome)..., s'il vous plaît.	*Lo mandi (a Roma) per favore.*	lo *mann*·di (a *ro*·ma) pér fa·*vo*·ré
par avion	*via aerea*	*vi*·a a·è·ré·a
par bateau	*via mare*	*vi*·a ma·ré
au tarif ordinaire	*per posta ordinaria*	pér *po*·sta or·di·*na*·rya
en urgence	*per posta prioritaria*	pér *po*·sta pri·o·ri·*ta*·rya

Banque

Où est le ... le plus proche ?	*Dov'è ... più vicino?*	do·*vè* ... pyou vi·*tchi*·no
distributeur automatique	*il Bancomat*	il *bann*·ko·mat
bureau de change	*il cambio*	il *kamm*·byo

Où puis-je... ?	*Dove posso ...?*	*do·vé pos·so ...*
Je voudrais...	*Vorrei ...*	*vor·reille ...*
transférer de l'argent	*trasferire soldi*	*tra·sfé·ri·ré sol·di*
encaisser un chèque	*riscuotere*	*ri·skwo·té·ré*
	un assegno	*ou·nas·sè·nyo*
changer un chèque	*cambiare*	*kamm·bya·ré*
de voyage	*un assegno di*	*ou·nas·sè·nyo di*
	viaggio	*vya·djo*
changer	*cambiare*	*kamm·bya·ré*
de l'argent	*denaro*	*dé·na·ro*
effectuer un retrait	*fare un prelievo*	*fa·ré ounn pré·lyè·vo*
effectuer un retrait	*prelevare con*	*pré·lé·va·ré konn*
par carte bancaire	*carta di credito*	*kar·ta di krè·di·to*

Quel est le taux de change ?
Quant'è il cambio? — kwan·*tè* il *kamm*·byo

À combien s'élève la commission ?
Quant'è la commissione? — kwann·*tè* la kom·mi·*syo*·né

Ça coûte combien ?
Quanto costa? — kwann·to ko·sta

À quelle heure ouvre la banque ?
A che ora apre la banca? — a ké o·ra a·pré la bann·ka

Téléphone

Quel est votre/ton (numéro de téléphone) ?
Qual'è il Suo/tuo — kwa·*lè* il sou·o/tou·o
numero di telefono? **pol/fam** — nou·mé·ro di té·*lè*·fo·no

Où est la cabine téléphonique la plus proche ?
Dov'è il telefono — do·*vè* il té·*lè*·fo·no
pubblico più vicino? — poub·bli·ko pyou vi·*tchi*·no

Je voudrais passer un appel...	Vorrei fare una chiamata	vor·reille fa·ré ou·na kya·ma·ta
local	locale	lo·ka·lé
(à la charge du destinataire)	(a carico del destinatario)...	(a ka·ri·ko dél dé·sti·na·ta·ryo)...
Combien coûte...?	Quanto costa...?	kwann·to ko·sta...
un appel de (3) minutes	una telefonata di (tre) minuti	ou·na té·lé·fo·na·ta di (tré) mi·nou·ti
la minute supplémentaire	ogni minuto in più	o·nyi mi·nou·to inn pyou

Je voudrais acheter une carte téléphonique.
Vorrei comprare una scheda telefonica.   vor·reille komm·pra·ré ou·na skè·da té·lé·fo·ni·ka

Le numéro est...
Il numero è...   il nou·mé·ro è...

Est-ce que je peux parler à...?
Posso parlare con...?   pos·so par·la·ré konn...

Dites-lui que j'ai appelé.
Gli/Le dica che ho telefonato, per favore. m/f   lyi/lé di·ka ké o té·lé·fo·na·to pér fa·vo·ré

Téléphone portable

Quels sont les tarifs ?
Quali sono le tariffe?   kwa·li so·no lé ta·rif·fé

(30 centimes) pour (30) secondes.
(Trenta centesimi) per (trenta) secondi.   (trènn·ta tchènn·tè·zi·mi) pér (trènn·ta) sé·konn·di

Je voudrais…	Vorrei…	vor·reille…
un adaptateur	un adattatore	ou·na·dat·ta·to·ré
une recharge	un caricabatterie	ounn ka·ri·ka·bat·té·ri·é
louer un téléphone portable	un cellulare da noleggiare	ounn tchél·lou·la·ré da no·lé·dja·ré
un téléphone prépayé	un cellulare prepagato	ounn tchél·lou·la·ré pré·pa·ga·to
une carte prépayée pour (Omnitel)	una ricarica telefonica per (Omnitel)	ou·na ri·ka·ri·ka té·lé·fo·ni·ka pér (om·ni·tél)
une carte SIM pour votre réseau	un SIM card per la vostra rete telefonica	ounn simm kard pér la vo·stra rè·té té·lé·fo·ni·ka

Internet

Où puis-je trouver un café Internet ?
Dove si trova l'Internet Cafe?/   do·vé si tro·va linn·tér·nét kaf·fè/
Dove si trova l'Internet point?   do·vé si tro·va linn·tér·nét poynt

Combien coûte… ?	Quanto costa…?	kwann·to ko·sta…
l'heure de connexion	all'ora	al·lo·ra
la page	a pagina	a pa·dji·na

Il est bloqué.	Si è bloccato.	si è blok·ka·to
Je voudrais…	Vorrei…	vor·reille…
consulter mes e-mails	controllare le mie email	konn·trol·la·ré lé mi·é é·mèl
me connecter à Internet	usare Internet	ou·za·ré inn·tér·nét
utiliser une imprimante	usare una stampante	ou·za·ré ou·na stamm·pann·té

45

TRANSPORTS
Orientation

Où se trouve... ?	*Dov'è ...?*	do·*vè* ...
la banque	*la banca*	la *bann*·ka
l'hôtel	*l'albergo*	lal·*bèr*·go
le commissariat	*il posto di polizia*	il *po*·sto di po·li·*tsi*·a

Pouvez-vous me montrer (sur le plan) ?
Può mostrarmi pwo mo·*strar*·mi
(sulla pianta)? (*soul*·la *pyann*·ta)

Quelle est l'adresse ?
Qual'è l'indirizzo? kwa·*lè* linn·di·*ri*·tso

Comment fait-on pour y aller ?
Come ci si arriva? *ko*·mé tchi si ar·*ri*·va

C'est loin ?
Quant'è distante? kwann·*tè* di·*stann*·té

C'est ...	*È ...*	è ...
ici	*qui*	kwi
là	*là*	la
derrière...	*dietro ...*	*dyè*·tro ...
devant...	*davanti a ...*	da·*vann*·ti a ...
à gauche	*a sinistra*	a si·*ni*·stra
à droite	*a destra*	a *dè*·stra
loin	*lontano*	lonn·*ta*·no
près (de...)	*vicino (a ...)*	vi·*tchi*·no (a ...)
près de...	*accanto a ...*	ak·*kann*·to a ...
au coin	*all'angolo*	al·*lann*·go·lo
en face de...	*di fronte a ...*	di *fronn*·té a ...
toujours tout droit	*sempre diritto*	*sèmm*·pré di·*rit*·to

C'est à …	*È a …*	è a …
(100) mètres	*(cento) metri*	*(tchènn·to) mè·tri*
(30) minutes	*(trenta)*	*(trènn·ta)*
	minuti	mi·*nou*·ti
Tournez…	*Giri …*	*dji·ri …*
au coin	*all'angolo*	al·*lann*·go·lo
au feu	*al semaforo*	al sé·*ma*·fo·ro
à gauche/droite	*a sinistra/destra*	a si·*ni*·stra/*dè*·stra
en bus	*con l'autobus*	konn *la*·ou·to·bou·se
à pied	*a piedi*	a *pyè*·di
en métro	*con la*	konn la
	metropolitana	mé·tro·po·li·*ta*·na
en taxi	*con il tassì*	konn il tas·*si*
en train	*con il treno*	konn il *trè*·no
au nord	*al nord*	al *nor*·de
au sud	*al sud*	al *sou*·de
à l'est	*all'est*	al·*è*·ste
à l'ouest	*all'ovest*	al·o·*vè*·ste

Circuler

À quelle heure	*A che ora*	a ké *o*·ra
part/arrive… ?	*parte/arriva …?*	*par*·té/ar·*ri*·va …
le bateau	*la nave*	la *na*·vé
le bus	*l'autobus*	*la*·ou·to·bou·se
le métro	*la metropolitana*	la mé·tro·po·li·*ta*·na
l'avion	*l'aereo*	la·è·ré·o
le train	*il treno*	il *trè*·no

À quelle heure	*A che ora*	a ké o·ra
passe le…	*passa …*	pas·sa …
bus/bateau ?	*autobus/nave?*	a·ou·to·bou·se/na·vé
premier	*il/la primo/a* m/f	il/la pri·mo/a
dernier	*l'ultimo/a* m/f	loul·ti·mo/a
prochain	*il/la prossimo/a* m/f	il/la pros·si·mo/a

Combien y a-t-il d'arrêts avant (le musée) ?
Quante fermate — kwann·té fér·ma·té
mancano (al museo)? — mann·ka·no (al mou·zè·o)

Cette place est-elle libre ?
È libero questo posto? — è li·bé·ro kwè·sto po·sto

C'est ma place.
Quel posto è mio. — kwèl po·sto è mi·o

Savez-vous à quelle heure nous arrivons au Colisée ?
Mi sa dire quando — mi sa di·ré kwann·do
arriviamo al Colosseo ? — ar·ri·vya·mo al ko·los·sè·o

Je veux descendre ici.
Voglio scendere qui. — vo·lyo chenn·dé·ré kwi

Billets et bagages

Où est-ce que je peux acheter un billet ?
Dove posso comprare — do·vé pos·so komm·pra·ré
un biglietto? — ounn bi·lyèt·to

Il faut réserver ?
Bisogna prenotare — bi·zo·nya pré·no·ta·ré
(un posto)? — (ounn po·sto)

Il faut combien de temps ?
Quanto ci vuole? — kwann·to tchi vwo·lé

Français	Italien	Prononciation
Je voudrais...	Vorrei ...	vor·reille ...
mon billet,	il mio biglietto,	il mi·o bi·lyèt·to
s'il vous plaît.	per favore.	pér fa·vo·ré
annuler	cancellare	kann·tchél·la·ré
changer	cambiare	kamm·bya·ré
confirmer	confermare	konn·fér·ma·ré
Combien ça coûte ?	Quant'è?	kwann·tè
Deux billets ...	Due biglietti ...	dou·é bi·lyèt·ti ...
(pour Rome),	(per Roma),	(pér ro·ma)
s'il vous plaît.	per favore.	pér fa·vo·ré
aller simple	di sola andata	di so·la ann·da·ta
aller-retour	di andata e ritorno	di ann·da·ta é ri·tor·no
en 1re classe	di prima classe	di pri·ma klas·sé
en 2e classe	di seconda classe	di sé·konn·da klas·sé
tarif enfant	per bambini	pér bamm·bi·ni
tarif étudiant	per studenti	pér stou·dènn·ti
Je voudrais	Vorrei	vor·reille
une place...,	un posto ...,	ounn po·sto ...
s'il vous plaît.	per favore.	pér fa·vo·ré
côté couloir	sul corridoio	soul kor·ri·do·yo
côté fenêtre	vicino al finestrino	vi·tchi·no al fi·né·stri·no
fumeur	per fumatori	pér fou·ma·to·ri
non-fumeur	per non fumatori	pér nonn fou·ma·to·ri
Y a-t-il... ?	C'è ...?	tchè ...
l'air conditionné	l'aria condizionata	la·rya konn·di·tsyo·na·ta
des toilettes	un gabinetto	ounn ga·bi·nèt·to

C'est direct ?
È un itinerario diretto? é ou·ni·ti·né·*ra*·ryo di·*rèt*·to

À quelle heure dois-je me présenter à l'enregistrement ?
A che ora devo presentarmi a ké *o*·ra *dè*·vo pré·zénn·*tar*·mi
per l'accettazione? pér la·tché·ta·*tsyo*·né

Est-ce que je peux me mettre sur liste d'attente ?
Posso mettermi in *pos*·so mèt·tér·mi inn
lista d'attesa? *li*·sta dat·*tè*·za

Où retire-t-on les bagages ?
Dov'è il ritiro bagagli? do·*vè* il ri·*ti*·ro ba·*ga*·lyi

Je voudrais…	*Vorrei un …*	vor·*reille* …
un casier pour	*un armadietto*	ounn ar·ma·*dyèt*·to
mes bagages	*per il bagaglio*	pér il ba·*ga*·lyo
de la monnaie	*della moneta*	*dèl*·la mo·*nè*·ta
des jetons	*dei gettoni*	deille djét·*to*·ni

Mes bagages ont	*Il mio bagaglio è*	il *mi*·o ba·*ga*·lyo
été …	*stato …*	è *sta*·to …
endommagés	*danneggiato*	dan·né·*dja*·to
perdus	*perso*	*pèr*·so
volés	*rubato*	rou·*ba*·to

Bus, métro, taxi et train

Quel bus va à… ?
Quale autobus va a …? kwa·lé *a*·ou·to·*bou*·se va a

C'est le bus pour … ?
Questo autobus va a …? *kwè*·sto *a*·ou·to·*bou*·se va a …

Quelle est cette gare ?
Che stazione è questa? ké sta·*tsyo*·né è *kwè*·sta

Quelle est la prochaine gare ?
Qual'è la prossima
stazione?
kwa·*lè* la *pros*·si·ma
sta·*tsyo*·né

Ce train s'arrête à (Milan) ?
Questo treno ferma
a (Milano)?
kwè·sto *trè*·no *fèr*·ma
a (mi·*la*·no)

Je dois changer (de train) ?
Devo cambiare (treno)?
dè·vo kamm·*bya*·ré (*trè*·no)

C'est le wagon pour (Rome) ?
Questa carrozza è per (Roma)?
kwè·sta kar·*ro*·tsa è pér (*ro*·ma)

Quel est le wagon de 1re classe ?
Quale carrozza
è di prima classe ?
kwa·lé kar·*ro*·tsa
è di *pri*·ma *klas*·sé

Où est le wagon-restaurant ?
Dov'è il vagone ristorante?
do·vè il va·*go*·né ri·sto·*rann*·té

Où est la station de taxis ?
Dov'è la fermata dei tassì?
do·vè la *fér*·ma·ta deille tas·*si*

Je voudrais un taxi…. *Vorrei un tassì …* vor·*reille* ounn tas·*si* …
  maintenant *adesso* a·*dès*·so
  demain *domani* do·*ma*·ni
  pour (9h) *alle (nove di* *al*·lé (*no*·vé di
  mattina) mat·*ti*·na)

Ce taxi est-il libre ?
È libero questo tassì?
é *li*·bé·ro kwè·sto tas·*si*

Combien ça coûte pour…?
Quant'è per …?
kwann·tè *pér* …

Mettez le compteur en route, s'il vous plaît.
Usi il tassametro,
per favore.
ou·zi il tas·*sa*·mé·tro
pér fa·*vo*·ré

Conduisez-moi à (cette adresse), s'il vous plaît.

Mi porti a (questo indirizzo), per piacere.   mi *por*·ti a (*kwè*·sto inn·di·*ri*·tso) pér pya·*tchè*·ré

Pouvez-vous…,	*Può…,*	può…,
s'il vous plaît.	*per favore.*	pér fa·*vo*·ré
ralentir	*rallentare*	ral·*lènn*·ta·ré
attendre ici	*aspettare qui*	as·spèt·*ta*·ré kwi

Arrêtez-vous…	*Si fermi …*	si *fèr*·mi …
au coin	*all'angolo*	al·*lann*·go·lo
ici	*qui*	kwi

Location de véhicules

Je voudrais	*Vorrei*	vor·*reille*
louer…	*noleggiare …*	no·lé·*dja*·ré …
un 4x4	*un fuoristrada*	ounn fwo·ri·*stra*·da
une voiture	*una macchina*	*ou*·na *mak*·ki·na
une moto	*una moto*	*ou*·na *mo*·to

avec/sans…	*con/senza …*	konn/*sènn*·tsa …
(l')air conditionné	*aria*	*a*·rya
	condizionata	konn·di·tsyo·*na*·ta
(de l')antigel	*anticongelante*	ann·ti·konn·djé·*lann*·té
(des) chaînes	*le catene da neve*	lé ka·tè·né da *nè*·vé

Combien ça coûte … ?	*Quanto costa …?*	*kwann*·to *ko*·sta …
par jour	*al giorno*	al *djor*·no
de l'heure	*all'ora*	al·*lo*·ra
par semaine	*alla settimana*	*al*·la sét·ti·*ma*·na

...est-il compris(e) ?   *È compreso/a ... m/f*   é komm·*prè*·zo/a ...
   le kilométrage   *il chilometraggio* m   il ki·lo·mé·*tra*·djo
   l'assurance   *l'assicurazione* f   las·si·kou·ra·*tsyo*·né

Quelle est la limite de vitesse en ville/hors agglomération ?
   Qual'è il limite di velocità   kwa·*lè* il *li*·mi·té di vé·lo·tchi·*ta*
   in città/fuori città?   inn tchit·*tà*/fwo·ri tchit·*ta*

C'est la route pour... ?
   Questa strada porta a ...?   kwè·sta stra·da *por*·ta a ...

Où y a-t-il une station-service ?
   Dov'è una stazione   do·*vè ou*·na sta·*tsyo*·né
   di servizio?   di sér·*vi*·tsyo

(Pendant combien de temps) Puis-je me garer ici ?
   (Per quanto tempo)   (pér *kwann*·to *tèmm*·po)
   Posso parcheggiare qui?   *pos*·so par·ké·*dja*·ré kwi

essence normale	*benzina* f *con piombo*	bènn·*dzi*·na konn *pyomm*·bo
essence sans plomb	*benzina* f *senza piombo*	bènn·*dzi*·na sènn·tsa *pyomm*·bo

Signalisation routière

Dare la Precedenza	da·ré la pré·tché·*dènn*·tsa	Laisser la priorité
Divieto di Accesso	di·*vyè*·to di at·*tchès*·so	Accès interdit
Entrata	ènn·*tra*·ta	Entrée
Pedaggio	pé·*da*·djo	Péage
Senso unico	*sènn*·so *ou*·ni·ko	Sens unique
Stop	stop	Stop
Uscita	ou·*chi*·ta	Sortie

HÉBERGEMENT
Trouver un hébergement

Où puis-je trouver…, s'il vous plaît ?	*Dov'è…, per favore?*	do·*vè*… pér fa·*vo*·ré
une chambre	*una camera*	*ou*·na ka·*mé*·ra
une chambre chez l'habitant	*un bed and breakfast*	ounn bèd ènnde *brèk*·fast
une pension	*una pensione*	ou·na pènn·*syo*·né
un hôtel	*un albergo*	ou·nal·*bèr*·go
une auberge	*una locanda*	*ou*·na lo·*kann*·da
une auberge de jeunesse	*un ostello della gioventù*	ounn·o·*stèl*·lo *dèl*·la djo·vènn·*tou*
un camping	*un campeggio*	ounn kamm·*pè*·djo
Pouvez-vous me conseiller un endroit…, s'il vous plaît ?	*Può consigliarmi qualche posto …, per favore?*	pwo konn·si·*lyar*·mi *kwal*·ké po·sto… pér fa·*vo*·ré
bon marché	*economico*	é·ko·*no*·mi·ko
luxueux	*di lusso*	di *lous*·so
proche	*vicino*	vi·*tchi*·no
romantique	*romantico*	ro·*mann*·ti·ko
bon	*buono*	*bwo*·no

Quelle est l'adresse ?
Qual'è l'indirizzo?   kwa·*lè* linn·di·*ri*·tso

Comment y arrive-t-on ?
Come ci si arriva?   *ko*·mé tchi si ar·*ri*·va

Pour répondre à ces questions, consulter le chapitre **TRANSPORTS**, p. 46.

HÉBERGEMENT

Réservation

Je voudrais réserver une chambre, s'il vous plaît.
Vorrei prenotare una   vor·*reille* pré·no·*ta*·ré *ou*·na
camera, per favore.   ka·mé·ra pér fa·*vo*·ré

J'ai une réservation.
Ho una prenotazione.   o *ou*·na pré·no·ta·*tsyo*·né

Je m'appelle...
Mi chiamo ...   mi *kya*·mo ...

Avez-vous une	*Avete una*	a·*vè*·té *ou*·na
chambre... ?	*camera ...?*	ka·mé·ra ...
simple	*singola*	*sinn*·go·la
double	*doppia con letto*	*dop*·pya konn *lèt*·to
	matrimoniale	ma·tri·mo·*nya*·lé
à lits jumeaux	*doppia a due letti*	*dop*·pya a *dou*·é *lèt*·ti

Combien ça coûte	*Quanto costa*	*kwann*·to *ko*·sta
pour ... ?	*per ...?*	pér ...
une nuit	*una notte*	*ou*·na *not*·té
une personne	*una persona*	una pér·*so*·na
une semaine	*una settimana*	*ou*·na sét·ti·*ma*·na

Je voudrais rester (2) nuits.
Vorrei rimanere   vor·*reille* ri·ma·nè·ré
(due) notti.   (dou·é) *not*·ti

Du (2 juillet) au (6 juillet).
Dal (due luglio) al   dal (dou·é lou·lyo) al
(sei luglio).   (seille *lou*·lyo)

Nous sommes (3).
Siamo (tre).   sya·mo (tré)_

Puis-je la voir ?
Posso vederla?   pos·so vé·dèr·la

D'accord. Je la prends.
Va bene. La prendo.   va bè·né. la prènn·do

Est-ce que je dois payer d'avance ?
Devo pagare in anticipo?   dè·vo pa·ga·ré i·nann·ti·tchi·po

Puis-je payer … ?	*Posso pagare …?*	pos·so pa·ga·ré …
avec une carte de crédit	*con la carta di credito*	konn la kar·ta di krè·di·to
avec un chèque de voyage	*con un assegno di viaggio*	ou·nas·sè·nyo di vya·djo
en espèces	*in contanti*	inn konn·tann·ti

Consultez également les rubriques **Argent** p. 22 et **Banque** p. 42.

Renseignements

À quelle heure est le petit-déjeuner ?
A che ora è la prima colazione?   a ké o·ra è la pri·ma ko·la·tsyo·né

Où prend-on le petit-déjeuner ?
Dove si prende la prima colazione?   do·vé si prènn·dé la pri·ma ko·la·tsyo·né

Réveillez-moi à (7h), s'il vous plaît.
Mi svegli (alle sette), per favore.   mi svè·lyi (al·lé sèt·té) pér fa·vo·ré

Pouvez-vous me donner ma clé, s'il vous plaît ?
Può darmi la mia chiave, per favore?   pwo dar·mi la mi·a kya·vé pér fa·vo·ré

Puis-je avoir un reçu, s'il vous plaît ?
Può darmi una ricevuta, per favore?   pwo dar·mi ou·na ri·tché·vou·ta pér fa·vo·ré

Puis-je utiliser . . . ?	*Posso usare ...?*	*pos·so ou·za·ré ...*
la cuisine	*la cucina*	la kou·*tchi*·na
la buanderie	*la lavanderia*	la la·vann·dé·*ri*·a
le téléphone	*il telefono*	il té·*lè*·fo·no
Y a-t-il . . . ?	*C'è ...?*	tchè ...
un ascenseur	*un ascensore*	ou·na·chènn·*so*·ré
un service de	*il servizio*	il sér·*vi*·tsyo
blanchisserie	*lavanderia*	la·vann·dé·*ri*·a
un coffre	*una cassaforte*	*ou*·na kas·sa·*for*·té
une piscine	*una piscina*	*ou*·na pi·*chi*·na
Est-ce que vous . . . ici ?	*Si ... qui?*	si ... kwi
organisez	*organizzano*	or·ga·*ni*·dza·no
des visites	*delle gite*	*dèl*·lé *dji*·té
changez	*cambiano*	*kamm*·bya·no
de l'argent	*i soldi*	i *sol*·di
La chambre est trop...	*La camera è troppo ...*	la *ka*·mé·ra è *trop*·po ...
chère	*cara*	*ka*·ra
bruyante	*rumorosa*	rou·mo·*ro*·za
froide	*fredda*	*frèd*·da
sombre	*scura*	*skou*·ra
lumineuse	*luminosa*	lou·mi·*no*·za
petite	*piccola*	*pik*·ko·la
... ne fonctionne(nt) pas.	*... non funziona(no).*	... nonn founn·*tsyo*·na(no)
le ventilateur	*il ventilatore*	il vènn·ti·la·*to*·ré
l'air conditionné	*l'aria condizionata*	*la*·rya konn·di·tsyo·*na*·ta
les toilettes	*il gabinetto*	il ga·bi·*nèt*·to
la fenêtre	*la finestra*	la fi·*nè*·stra

Pouvez-vous me donner un(e) autre... ?	*Può darmi un altro/a ...* m/f	pwo *dar*·mi ou·*nal*·tro/a
Ce/cette...	*Questo/a ...*	*kwè*·sto/a ...
n'est pas propre.	*non è pulito/a.* m/f	nonn é pou·*li*·to/a
couverture	*coperta* f	ko·*pèr*·ta
coussin	*cuscino* m	kou·*chi*·no
taie d'oreiller	*federa* f	*fè*·dé·ra
serviette	*asciugamano* m	a·chou·ga·*ma*·no

Quitter les lieux

À quelle heure doit-on quitter la chambre ?

A che ora si deve lasciar libera la camera?

a ké *o*·ra si *dè*·vé la·*char li*·bé·ra la *ka*·mé·ra

Est-ce que je peux laisser mes bagages ici ?

Posso lasciare il mio bagaglio qui?

pos·so la·*cha*·ré il *mi*·o ba·*ga*·lyo kwi

Puis-je récupérer ..., s'il vous plaît ?	*Posso avere ..., per favore?*	*pos*·so a·*vè*·ré ... pér fa·*vo*·ré
ma caution	*la caparra*	la ka·*par*·ra
mon passeport	*il mio passaporto*	il *mi*·o pas·sa·*por*·to
mes objets de valeur	*i miei oggetti di valore*	i myeille o·*djèt*·ti di va·*lo*·ré
Je reviens ...	*Torno ...*	*tor*·no ...
dans (3) jours	*fra (tre) giorni*	fra (tré) *djor*·ni
(mardi)	*(martedì)*	(mar·té·*di*)

AFFAIRES
Présentations

Je suis ici pour…	Sono qui per …	so·no kwi pér …

Où est/se déroule… ?	Dov'è …?	do·vè …
le centre d'affaires	il business centre	il biz·nis·se sènn·tér
la conférence	la conferenza	la konn·fé·rènn·tsa
la réunion	la riunione	la ri·ou·nyo·né

Je suis ici avec…	Sono qui con …	so·no kwi konn …
mon collègue	il mio collega m	il mi·o kol·lè·ga
ma collègue	la mia collega f	la mi·a kol·lè·ga
mes collègues	i miei colleghi	i myeille kol·lè·ghi
(2) autres personnes	(due) altre persone	(dou·é) al·tré pér·so·né

Voici ma carte de visite.
Ecco il mio biglietto da visita.   èk·ko il mi·o bi·lyèt·to da vi·zi·ta

Je voudrais vous présenter mon/ma collègue.

Vorrei presentarvi il mio collega. m	vor·reille pré·sénn·tar·vi il mi·o kol·lè·ga
Vorrei presentarvi la mia collega. f	vor·reille pré·sénn·tar·vi la mi·a kol·lè·ga

Je suis seul(e).
Sono solo/a. m/f   so·no so·lo/a

Je reste ici (2) jours/semaines.
Sono qui per (due) giorni/settimane.   so·no kwi pér (dou·é) djor·ni/sét·ti·ma·né

Je suis descendu(e) à …, chambre …
Alloggio al …, camera …   al·lo·djo al …, ka·mé·ra …

Affaire en cours

J'ai un rendez-vous avec …
Ho un appuntamento …   o ou·nap·pounn·ta·*mènn*·to konn …

J'ai besoin d'un interprète.
Ho bisogno di un interprete.   o bi·*zo*·nyo di ou·ninn·*tèr*·pré·té

J'attends…	*Aspetto …*	a·*spèt*·to …
un appel	*una telefonata*	*ou*·na té·lé·fo·*na*·ta
un fax	*un fax*	ounn faks

J'ai besoin…	*Ho bisogno di …*	o bi·*zo*·nyo di …
d'un ordinateur	*un computer*	ounn komm·*pyou*·teur
d'envoyer un	*mandare un*	mann·*da*·ré ounn
mail/fax	*email/fax*	é·*mèl*/faks

Y a-t-il … ?	*C'è … ?*	tchè …
un tableau	*una lavagna*	ou·na la·*va*·nya
de conférence	*con fogli*	konn fo·lyi
un rétroprojecteur	*una lavagna*	ou·na la·*va*·nya
	luminosa	lou·mi·*no*·za

Affaire conclue

Ça s'est bien passé.
È andato bene.   è ann·*da*·to bè·né

On va boire/manger quelque chose ?
Andiamo a bere/   ann·*dya*·mo a bè·ré/
mangiare qualcosa?   mann·*dja*·ré kwal·*ko*·za

C'est ma tournée.
Offro io.   of·fro i·o

Pour en savoir plus, consultez le chapitre **SERVICES**, p. 42.

SÉCURITÉ ET SANTÉ
Urgences

Au secours !	Aiuto!	a·*you*·to
Stop !	Fermi!	*fèr*·mi
Circulez !	Vai via!	vaille *vi*·a
Au voleur !	Ladro!	*la*·dro
Au feu !	Al fuoco!	al *fwo*·ko
Attention !	Attenzione!	at·tènn·*tsyo*·né

Appelez une ambulance !
Chiami un'ambulanza!   *kya*·mi ou·namm·bou·*lann*·tsa

Appelez un docteur !
Chiami un medico!   kya·mi ounn *mè*·di·ko

Appelez la police !
Chiami la polizia!   *kya*·mi la po·li·*tsi*·a

C'est une urgence !
È un'emergenza!   è ou·né·mér·*djènn*·tsa

Pouvez-vous m'aider, s'il vous plaît ?
Mi può aiutare,   mi pwo a·*you*·*ta*·ré
per favore?   pér fa·*vo*·ré

Je dois passer un coup de fil.
Devo fare una   *dè*·vo fa·ré *ou*·na
telefonata.   té·lé·fo·*na*·ta

Je suis perdu(e).
Mi sono perso/a. m/f   mi *so*·no *pèr*·so/a

Laisse-moi tranquille !
Lasciami in pace!   *la*·cha·mi inn *pa*·tché

Où sont les toilettes ?
Dove sono i gabinetti?   *do*·vé *so*·no i ga·bi·*nèt*·ti

Police

Où est le poste de police ?
Dov'è il posto di polizia? — do·*vè* il *po*·sto di po·li·*tsi*·a

Je voudrais porter plainte.
Voglio fare una denuncia. — *vo*·lyo fa·ré *ou*·na dé·*nounn*·tcha

On m'a violé(e).
Sono stato/a violentato/a. m/f — sono *sta*·to/a vyo·*lènn*·*ta*·to/a

Il/elle a été agressé(e).
È stato/a aggredito/a. m/f — è *sta*·to/a ag·gré·*di*·to/a

On m'a volé.
Sono stato/a derubato/a. m/f — *so*·no *sta*·to/a dé·rou·*ba*·to/a

J'ai perdu …	*Ho perso …*	o *pèr*·so …
On m'a	*Mi hanno*	mi *an*·no
volé …	*rubato …*	rou·*ba*·to …
mon sac à main	*la mia borsa*	la *mi*·a *bor*·sa
mon sac à dos	*il mio zaino*	il *mi*·o *dza*·i·no
mes bijoux	*i miei gioielli*	i *myeille* djo·*yèl*·li
mes bagages	*i miei bagagli*	i *myeille* ba·*ga*·lyi
ma carte	*la mia carta*	la *mi*·a *kar*·ta
de crédit	*di credito*	di *krè*·di·to
mon argent	*i miei soldi*	i *myeille sol*·di
mon	*il mio*	il *mi*·o
passeport	*passaporte*	pas·sa·*por*·té
mes	*i miei*	i *myeille*
chèques	*assegni di*	as·*sè*·nyi di
de voyage	*viaggio*	*vya*·djo
mon portefeuille	*il mio portafoglio*	il *mi*·o por·ta·*fo*·lyo

Je voudrais   *Vorrei*   vor·*reille*
contacter...   *contattare...*   konn·tat·*ta*·ré...
  mon ambassade   *la mia ambasciata*   la *mi*·a amm·ba·*cha*·ta
  mon consulat   *il mio consolato*   il *mi*·o konn·so·*la*·to

J'ai une assurance.
  Ho l'assicurazione.   o las·si·kou·ra·*tsyo*·né

Pouvez-vous me donner un reçu pour mon assurance ?
  Può darmi una ricevuta per   pwo *dar*·mi *ou*·na ri·tché·*vou*·ta pér
  la mia assicurazione?   la *mi*·a as·si·kou·ra·*tsyo*·né

Pourriez-vous me donner une facture pour mon assurance ?
  Potrebbe darmi una   po·*trèb*·bé *dar*·mi *ou*·na
  ricevuta per   ri·tché·*vou*·ta pér
  l'assicurazione?   las·si·kou·ra·*tsyo*·né

Santé

Où se trouve...   *Dov'è... più*   do·*vè*... pyou
le/la plus proche ?   *vicino/a?* m/f   vi·*tchi*·no/a
  la pharmacie   *la farmacia* f   la far·ma·*tchi*·a
    (de garde)   *(di turno)*   (di *tour*·no)
  le dentiste   *il/la dentista* m/f   il/la dènn·*ti*·sta
  le médecin   *il medico* m   il *mè*·di·ko
  l'hôpital   *l'ospedale* m   lo·spé·*da*·lé
  le cabinet médical   *l'ambulatorio* m   lamm·bou·la·*to*·ryo
  l'opticien   *l'ottico* m   *lot*·ti·ko

J'ai besoin d'un médecin (qui parle français).
  Ho bisogno di un medico   o bi·*zo*·nyo di ounn *mè*·di·ko
  (che parli francese).   (ké *par*·li frann·*tchè*·zé)

Est-ce que je peux voir un médecin femme ?
  Posso vedere una   *pos*·so vé·*dè*·ré *ou*·na
  dottoressa?   dot·to·*rès*·sa

Est-ce que le médecin peut venir ici ?
Può venire qui il medico?   pwo vé·*ni*·ré kwi il *mè*·di·ko

J'ai fini mes médicaments.
Ho finito la mia   o fi·*ni*·to la *mi*·a
medicina.   mé·di·*tchi*·na

Il/Elle a été vacciné(e) contre...	*Lui/Lei è stato/a vaccinato/a per...*	louille/leille è *sta*·to/a va·tchi·*na*·to/a pér...
l'hépatite A/B/C	*l'epatite A/B/C*	lé·pa·*ti*·té a/bi/tchi
le tétanos	*il tetano*	il *tè*·ta·no
la typhoïde	*il tifo*	il *ti*·fo

J'ai besoin de ...	*Ho bisogno di ...*	o bi·*zo*·nyo di ...
nouvelles lunettes	*nuovi occhiali*	*nwo*·vi ok·*kya*·li
nouvelles lentilles de contact	*nuove lenti a contatto*	*nwo*·vé *lènn*·ti a konn·*tat*·to

Condition physique et allergies

Je suis malade.
Mi sento male.   mi *sènn*·to *ma*·lé

Je me suis blessé(e).
Sono stato/a ferito/a. m/f   *so*·no *sta*·to/a fé·*ri*·to/a

J'ai mal ici.
Mi fa male qui.   mi fa *ma*·lé kwi

J'ai vomi plusieurs fois.
Ho vomitato alcune volte.   o vo·mi·*ta*·to al·*kou*·né *vol*·té

Je n'arrive pas à dormir.
Non riesco a dormire.   nonn ri·è·sko a dor·*mi*·ré

Je me sens…	Mi sento…	mi *sènn*·to…
mieux	meglio	*mè*·lyo
bizarre	strano/a m/f	*stra*·no/a
faible	debole	*dè*·bo·lé
moins bien	peggio	*pè*·djo

Je me sens…	Sono..	*so*·no…
anxieux/anxieuse	ansioso/a m/f	ann·*syo*·zo/a
déprimé(e)	depresso/a m/f	dé·*près*·so/a

J'ai…	Ho…	o…
la tête qui tourne	il capogiro	il ka·po·*dji*·ro
des bouffées	vampate	vamm·*pa*·té
de chaleur	di calore	di ka·*lo*·ré
la nausée	la nausea	la *na*·ou·zé·a
des frissons	i brividi	i *bri*·vi·di

J'ai…	Ho…	o…
une allergie	un'allergia	ounn·al·lèr·*dji*·a
un rhume	un raffreddore	ounn raf·fréd·*do*·ré
de la toux	la tosse	la *tos*·sé
de la fièvre	la febbre	la *fèb*·bré
mal à la gorge	mal di gola	mal di *go*·la
mal à la tête	mal di testa	mal di *tè*·sta
la migraine	l'emicrania	lé·mi·*kra*·nya
un problème	un problema	ounn pro·*blè*·ma
cardiaque	cardiaco	kar·*di*·a·ko
une grosseur	un gonfiore	ounn gonn·*fyo*·ré

Je suis…	Sono…	*so*·no…
asthmatique	asmatico/a m/f	az·*ma*·ti·ko/a
diabétique	diabetico/a m/f	dya·*bè*·ti·ko/a
épileptique	epilettico/a m/f	é·pi·*lèt*·ti·ko/a

J'ai (récemment) eu...
> *Ho avuto ... (di recente).*   o a·*vou*·to... (di ré·*tchènn*·té)

Je prends des médicaments pour...
> *Prendo la medicina per...*   *prènn*·do la mé·di·*tchi*·na pér...

J'ai besoin de quelque chose contre...
> *Ho bisogno di*   o bi·*zo*·nyo di
> *qualcosa per ...*   kwal·*ko*·za pér ...

Il faut une ordonnance pour...
> *Ci vuole una*   tchi *vwo*·lé *ou*·na
> *ricetta per ...*   ri·*tchèt*·ta pér...

Combien de fois par jour ?
> *Quante volte al giorno?*   *kwann*·té *vol*·té al *djor*·no

Je suis allergique à/au/aux...	*Sono allergico/a agli ...* m/f	*so*·no al·*lèr*·dji·ko/a *a*·lyi ...
Il/Elle est allergique à/au/aux...	*È allergico/a agli ...* m/f	è al·*lèr*·dji·ko/a... *a*·lyi ...
antibiotiques	*antibiotici*	ann·ti·*byo*·ti·tchi
anti-inflammatoires	*agli anti infiammatori*	*a*·lyi ann·tinn·fyam·ma·*to*·ri
l'aspirine	*all'aspirina*	al·la·spi·*ri*·na
la codéine	*alla codeina*	al·la ko·dé·*i*·na
la pénicilline	*alla penicillina*	al·la pé·ni·tchil·*li*·na
piqûres d'abeille	*alle api*	al·lé *a*·pi
pollen	*al polline*	al *pol*·li·né

J'ai une allergie de la peau.
> *Ho un'allergia alla pelle.*   o ou·nal·lér·*dji*·a *al*·la *pèl*·lé

Pour les allergies alimentaires, consultez la rubrique **Allergies et régimes spéciaux** p. 33.

Chiffres

0	zero	*dzè·ro*
1	uno	*ou·no*
2	due	*dou·é*
3	tre	*tré*
4	quattro	*kwat·tro*
5	cinque	*tchinn·kwé*
6	sei	A
8	otto	*ot·to*
9	nove	*no·vé*
10	dieci	*dyè·tchi*
11	undici	*ounn·di·tchi*
12	dodici	*do·di·tchi*
13	tredici	*tré·di·tchi*
14	quattordici	*kwat·tor·di·tchi*
15	quindici	*kwinn·di·tchi*
16	sedici	*sé·di·tchi*
17	diciassette	*di·tchas·sèt·té*
18	diciotto	*di·tchot·to*

19	diciannove	*di·tcha·no·vé*
20	venti	*vènn·ti*
21	ventuno	*vènn·tou·no*
22	ventidue	*vènn·ti·dou·é*
30	trenta	*trènn·ta*
40	quaranta	*kwa·rann·ta*
50	cinquanta	*tchinn·kwann·ta*
60	sessanta	*sés·sann·ta*
70	settanta	*sét·tann·ta*
80	ottanta	*ot·tann·ta*
90	novanta	*no·vann·ta*
100	cento	*tchènn·to*
200	duecento	*dou·é·tchènn·to*
1 000	mille	*mil·lé*
2 000	duemila	*dou·é·mi·la*

Couleurs

... clair		
	... chiaro/a m/f	*... kya·ro/a*
blanc	*bianco/a* m/f	*byann·ko/a*
bleu	*azzurro/a* m/f	*a·dzour·ro/a*
jaune	*giallo/a* m/f	*djal·lo/a*
marron	*marrone*	*mar·ro·né*
noir	*nero/a* m/f	*nè·ro/a*

...foncé		
	... scuro/a m/f	*... skou·ro/a*
orange	*arancione*	*a·rann·tchyo·né*
rose	*rosa*	*ro·za*
rouge	*rosso/a* m/f	*ros·so/a*
vert	*verde*	*vèr·dé*
violet	*viola*	*vyo·la*

Heure et dates

Quelle heure est-il ?	Che ora è?	ké o·ra è
Il est 1h.	È l'una.	è lou·na
Il est (2h).	Sono le (due).	so·no lé (dou·é)
(1h) cinq.	(L'una) e cinque.	(lou·na) é tchinn·kwé
(1h) un quart.	(L'una) e un quarto.	(lou·na) é ounn kwar·to
(1h) et demie.	(L'una) e mezza.	(lou·na) é mè·dza
(8h) moins le quart.	(Le otto) meno un quarto.	(lé ot·to) mè·no ounn kwar·to
(8h) moins vingt.	(Le otto) meno venti.	(lé ot·to) mè·no vènn·ti
À quelle heure… ?	A che ora…?	a ké o·ra…
À …	Alle …	al·lé
lundi	lunedì	lou·né·di
mardi	martedì	mar·té·di
mercredi	mercoledì	mér·ko·lé·di
jeudi	giovedì	djo·vé·di
vendredi	venerdì	vé·nér·di
samedi	sabato	sa·ba·to
dimanche	domenica	do·mè·ni·ka
janvier	gennaio	djén·na·yo
février	febbraio	féb·bra·yo
mars	marzo	mar·tso
avril	aprile	a·pri·lé
mai	maggio	ma·djo
juin	giugno	djou·nyo
juillet	luglio	lou·lyo
août	agosto	a·go·sto
septembre	settembre	sét·tèmm·bré
octobre	ottobre	ot·to·bré
novembre	novembre	no·vèmm·bré
décembre	dicembre	di·tchèmm·bré

printemps	*primavera*	pri·ma·*vè*·ra
été	*estate*	é·*sta*·té
automne	*autunno*	a·ou·*toun*·no
hiver	*inverno*	inn·*vèr*·no

Quel jour sommes-nous ?
Che giorno è oggi? ké *djor*·no è *o*·dji

Nous sommes le (18) octobre.
È (il diciotto) ottobre. è (il di·*tchot*·to) ot·*to*·bré

le/la ... dernier/ère

nuit	*ieri notte*	yè·ri *not*·té
semaine	*la settimana*	la sét·ti·*ma*·na
	scorsa	*skor*·sa
mois	*il mese scorso*	il mè·zé *skor*·so
année	*l'anno scorso*	*lan*·no *skor*·so

le/la ... prochaine

semaine	*la settimana*	la sét·ti·*ma*·na
	prossima	*pros*·si·ma
mois	*il mese prossimo*	il mè·zé *pros*·si·mo
année	*l'anno prossimo*	*lan*·no *pros*·si·mo

depuis le mois de (mai) *da (maggio)* da (*ma*·djo)

hier ... *ieri ...* yè·ri ...

matin	*mattina*	mat·*ti*·na
après-midi	*pomeriggio*	po·mé·*ri*·djo
soir	*sera*	*sè*·ra

demain ... *domani ...* do·*ma*·ni ...

matin	*mattina*	mat·*ti*·na
après-midi	*pomeriggio*	po·mé·*ri*·djo
soir	*sera*	*sè*·ra

EN DÉTAIL

A

à *a* a

— **bord** *a bordo* a bor-do

— **droite** *a destra* a dè-stra

abîmé(e) *rovinato/a* ro-vi-na-to/a

acheter *comprare* komm-pra-ré

addition *conto* m konn-to

adresse *indirizzo* m inn-di-ri-tso

aéroport *aeroporto* m a-é-ro-por-to

agence de voyages *agenzia* f *di viaggio* a-djènn-tsi-a di vya-djo

agenda *agenda* f a-djènn-da

aider *aiutare* a-you-ta-ré

aiguille *ago* m a-go

— **de seringue** *ago* m *da siringa* a-go da si-rinn-ga

aimer *amare* a-ma-ré

air conditionné *aria condizionata* a-rya konn-di-tsyo-na-ta

alcool *alcol* m al-kol

Allemagne *Germania* f djér-ma-nya

Allemand(e) *tedesco/a* m/f té-dè-sko/a

aller *andare* ann-da-ré

allergie *allergia* f al-lér-dji-a

ambassade *ambasciata* f amm-ba-cha-ta

ambulance *ambulanza* f amm-bou-lann-tsa

amende *multa* f moul-ta

ami(e) *amico/a* m/f a-mi-ko/a

ampoule *vescica* f vé-chi-ka

amusant(e) *divertente* di-vér-tènn-té

analgésique *analgesico* m a-nal-djè-zi-ko

Anglais(e) *Inglese* inn-glè-zé

Angleterre *Inghilterra* f inn-guil-tèr-ra

année *anno* m an-no

anniversaire *compleanno* m komm-plé-an-no

annuaire téléphonique *elenco* m *telefonico* é-lènn-ko té-lé-fo-ni-ko

antibiotiques *antibiotici* m pl ann-ti-byo-ti-tchi

antiquité (objet) *pezzo* m *di antiquariato* pè-tso di ann-ti-kwa-rya-to

antiseptique *antisettico* m ann-ti-sèt-ti-ko

appareil photo *macchina* f *fotografica* mak-ki-na fo-to-gra-fi-ka

appel téléphonique *chiamata* f kya-ma-ta

— **à la charge du destinataire** *chiamata* f *a carico del destinatario* kya-ma-ta a ka-ri-ko dél dé-sti-na-ta-ryo

après *dopo* do-po

après-demain *dopodomani* do-po-do-ma-ni

après-midi *pomeriggio* m po-mé-ri-djo

après-rasage *dopobarba* m do-po-bar-ba

après-shampooing *balsamo* m *per i capelli* bal-sa-mo pér i ka-pèl-li

archéologique *archeologico/a* m/f ar-ké-o-lo-dji-ko/a

architecte *architetto* m ar-ki-tèt-to

architecture *architettura* f ar-ki-tèt-tou-ra

argent (matière) *argento* m ar-djènn-to • **(monnaie)** *denaro* m dé-na-ro • *soldi* m pl sol-di

armoire *armadio* m ar-ma-dyo

arrêt d'autobus *fermata* f *d'autobus* fér-ma-ta da-ou-to-bou-se

arrêter *fermare* fér-ma-ré

arrivée *arrivo* m ar-ri-vo

art *arte* f ar-té

artisanat *artigianato* m ar-ti-dja-na-to

artiste *artista* m et f ar-ti-sta

ASA *ASA* a-za

ascenseur *ascensore* m a-chènn-so-ré

aspirine *aspirina* f a-spi-ri-na

assez *abbastanza* ab-ba-stann-tsa

assiette *piatto* m pyat-to

— **creuse** *piatto* m *fondo* pyat-to fonn-do

assurance *assicurazione* f as-si-kou-ra-tsyo-né

attendre *aspettare* a·spét·*ta*·ré

attente (sur liste d') *attesa* f *(in lista d')* at·*tè*·za (inn *li*·sta d')

auberge de jeunesse *ostello* m *della gioventù* o·*stèl*·lo *dèl*·la djo·vènn·*tou*

aujourd'hui *oggi* o·dji

autobus *autobus* m a·ou·to·bou·se

autocar *pullman* m poul·mann

automne *autunno* m a·ou·*toun*·no

autoroute *autostrada* f a·ou·to·*stra*·da

auto-stop *autostop* a·ou·to·stop
- **faire de l'auto-stop** *fare l'autostop* fa·ré la·ou·to·stop

autre *altro/a* m/f *al*·tro/a

avant *prima* *pri*·ma

avant-hier *altro ieri* m *al*·tro yè·ri

avion *aereo* a·è·ré·o

avocat(e) *avvocato/a* m/f av·vo·*ka*·to/a

avoir *avere* a·vé·ré

B

bac (bateau) *traghetto* m tra·*guèt*·to

bagage *bagaglio* m ba·*ga*·lyo
- **autorisé** *bagaglio* m *consentito* ba·*ga*·lyo konn·sènn·*ti*·to
- **à main** *bagaglio* m *a mano* ba·*ga*·lyo a *ma*·no

bain *bagno* m *ba*·nyo

bal *ballo* m *bal*·lo

bande *fascia* f *fa*·cha

banque *banca* f *bann*·ka

bar *locale* m lo·*ka*·lé

barque *barca* f *bar*·ka

bas *calze* f pl *kal*·tsé

bas(se) *basso/a* m/f *bas*·so/a

beau/belle *bello/a* m/f *bèl*·lo/a

beaucoup *molto* *mol*·to

beau-père *suocero* m swo·*tché*·ro

Belge *belga* m et f *bèl*·ga

Belgique *Belgio* m *bèl*·djo

belle-mère *suocera* f swo·*tché*·ra

bibliothèque *biblioteca* f bi·bli·o·*tè*·ka

bicyclette *bicicletta* f bi·tchi·*klèt*·ta

bientôt *presto* prè·sto

bière *birra* f *bir*·ra

billet *biglietto* m bi·*lyèt*·to
- **de banque** *banconota* f bann·ko·*no*·ta

billetterie *biglietteria* f bi·lyét·té·*ri*·a

blanc *bianco/a* m/f *byann*·ko/a

blessé(e) *ferito/a* m/f fé·ri·to/a

blessure *ferita* f fé·*ri*·ta

bleu (clair) *azzurro* m/f a·*dzour*·ro/a
- **(foncé)** *blu* blou

bloqué(e) *bloccato/a* m/f blok·*ka*·to/a

boire *bere* bê·ré

boîte *scatola* f *ska*·to·la
- **aux lettres** *buca* f *delle lettere* bou·ka *dèl*·lé *lèt*·té·ré

bon(ne) *buono/a* m/f *bwo*·no/a

bord, à à *bordo* a *bor*·do

bottes *stivali* m pl sti·*va*·li

bouche *bocca* f *bok*·ka

boucherie *macelleria* f ma·tchél·lé·*ri*·a

bouchon *tappo* m *tap*·po

boulangerie *panetteria* f pa·nét·té·*ri*·a

bouteille *bottiglia* f bot·*ti*·lya

bouton *bottone* m bot·*to*·né

bras *braccio* m *bra*·tcho

briquet *accendino* m a·tchènn·*di*·no

brosse à dents *spazzolino* m *da denti* spa·tso·*li*·no da dènn·ti

brûler *bruciare* brou·*tcha*·ré

brûlure *scottatura* f skot·ta·*tou*·ra

bruyant(e) *rumoroso/a* m/f rou·mo·ro·zo/a

budget *bilancio* m bi·*lann*·tcho

bureau *ufficio* m *postale* ouf·*fi*·tcho po·*sta*·lé

C

cabine téléphonique *cabina* f *telefonica* ka-*bi*-na té-lé-*fo*-ni-ka

cacahouète *arachide* f a-*ra*-ki-dé

cacao *cacao* m ka-*ka*-o

cadeau *regalo* m ré-*ga*-lo

cadenas *lucchetto* m louk-*kèt*-to

café *caffè* m kaf-*fè*

cahier *quaderno* m kwa-*dèr*-no

caisse *cassa* f *kas*-sa

caissier/caissière f *cassiere/a* m/f kas-syè-ré/a

calculatrice *calcolatrice* f kal-ko-la-*tri*-tché

caméra vidéo *videocamera* f vi-dé-o-*ka*-mé-ra

campagne *campagna* f kamm-*pa*-nya

camping *campeggio* m kamm-*pè*-djo

Canada *Canada* m ka-na-da

Canadien(ne) *canadese* m et f ka-na-*dè*-zé

carte d'embarquement *carta* f *d'imbarco* *kar*-ta dimm-*bar*-ko

carte d'identité *carta* f *d'identità* *kar*-ta di-dènn-ti-*ta* • *documento* m *d'identità* do-kou-*mènn*-to di-dènn-ti-*ta*

carte de crédit *carta* f *di credito* *kar*-ta di *krè*-di-to

carte grise *libretto* m *di circolazione* li-*brèt*-to di tchir-ko-la-*tsyo*-né

carte postale *cartolina* f *kar*-to-*li*-na

carton *scatola* f *ska*-to-la

cassé(e) *rotto/a* m/f *rot*-to/a

casserole *pentola* f *pènn*-to-la

cassette *cassetta* f kas-*sèt*-ta

cave *cantina* f kann-*ti*-na

— **viticole** *cantina* f kann-*ti*-na

caviar *caviale* m ka-*vya*-lé

CD *cidì* m tchi-*di*

ce soir *stasera* sta-sé-ra

ce/cet/cette *questo/a* m/f *kwè*-sto/a

ceinture de sécurité *cintura* f *di sicurezza* tchinn-*tou*-ra di si-kou-*rè*-tsa

célibataire (femme) *nubile* f *nou*-bi-lé • **(homme)** *celibe* m *tchè*-li-bé

cendrier *portacenere* m por-ta-*tché*-né-ré

centimètre *centimetro* m tchènn-*ti*-mé-tro

centre *centro* m *tchènn*-tro

— **commercial** *centro* m *commerciale* *tchènn*-tro kom-mér-*tcha*-lé

chacun(e) *ciascuno/a* m/f tcha-*skou*-no/a

chaise *sedia* f sè-dya

chaleur *caldo* m *kal*-do

chambre *camera* f *ka*-mé-ra

— **à coucher** *camera* f *da letto* *ka*-mé-ra da *lèt*-to

— **double** *camera* f *doppia* *ka*-mé-ra *dop*-pya

— **simple** *camera* f *singola* *ka*-mé-ra *sinn*-go-la

chandail *maglione* m ma-*lyo*-né

change *cambio* m *(valuta)* kamm-byo (va-*lou*-ta)

changer *cambiare* kamm-*bya*-ré

chanson *canzone* f kann-*tso*-né

chapeau *cappello* m kap-*pèl*-lo

charcuterie *salumeria* f sa-lou-mé-*ri*-a

chariot *carrello* m kar-*rèl*-lo

château *castello* m ka-*stèl*-lo

chaud(e) *caldo/a* m/f *kal*-do/a

chaussettes *calzini* m pl cal-*tsi*-ni

chaussures *scarpe* f pl *skar*-pé

chemin *sentiero* m sènn-*tyè*-ro

chemise *camicia* f ka-*mi*-tcha

chèque *assegno* m as-sè-nyo

— **de voyage** *assegno* m *di viaggio* as-sè-nyo di vya-djo

cher/chère *caro/a* m/f *ka*-ro/a

cheval *cavallo* m ka-*val*-lo

• **faire du cheval** *andare a cavallo* ann-*da*-ré a ka-*val*-lo

cheville *caviglia* f ka-*vi*-lya
chien *cane* m *ka*-né
chocolat *cioccolato* m tchok-ko-*la*-to
cigare *sigaro* m *si*-ga-ro
cigarette *sigaretta* f si-ga-*rèt*-ta
cinéma *cinema* m *tchi*-né-ma
cirque *circo* m *tchir*-ko
ciseaux *forbici* f pl *for*-bi-tchi
clair(e) *chiaro/a* m/f *kya*-ro/a
classe affaires *classe* f *business* klas-sè *biz*-ni-se
classe économique *classe* f *turistica* klas-sè tou-ri-sti-ka
classique *classico/a* m/f klas-si-ko/a
client(e) *cliente* m et f kli-*ènn*-té
code postal *codice* m *postale* ko-di-tché po-*sta*-lé
cœur *cuore* m *kwo*-ré
coiffeur/coiffeuse *parrucchiere/a* m/f par-rou-*kyè*-ré/a
collant *collant* m inv kol-*lannt*
collègue *collega* m et f kol-*lè*-ga
commission *commissione* f komm-mis-*syo*-né
compagnon/compagne *compagno/a* m/f komm-*pa*-nyo/a
complet/complète *completo/a* m/f komm-*plè*-to/a
compris(e) *compreso/a* m/f komm-*prè*-zo/a
compte bancaire *conto* m *in banca* conn-to inn *bann*-ka
concert *concerto* m konn-*tchèr*-to
conduire *guidare* gwi-*da*-ré
confirmer *confermare* konn-fér-*ma*-ré
confortable *comodo/a* m/f ko-mo-do/a
congelé(e) *congelato/a* m/f konn-djé-*la*-to/a
consigne *deposito* m *bagagli* dé-*po*-zi-to ba-*ga*-lyi
constipation *stitichezza* f sti-ti-*kè*-tsa
consulat *consolato* m konn-so-*la*-to

contrôler *controllare* konn-trol-*la*-ré
corde *corda* f *kor*-da
corps *corpo* m *kor*-po
correspondance *coincidenza* f ko-inn-tchi-*dènn*-tsa
couche (de bébé) *pannolino* m pan-no-*li*-no
coucher du soleil *tramonto* m tra-*monn*-to
couleur *colore* m ko-lo-ré
couloir *corridoio* m kor-ri-*do*-yo
coup de fil *chiamata* f kya-*ma*-ta
coupe-ongles *tagliaunghie* m ta-lya-*ounn*-guyé
couper *tagliare* ta-*lya*-ré
courant (électrique) *corrente* f kor-*rènn*-té
courrier *posta* f *po*-sta
  — prioritaire *posta* f *prioritaria* *po*-sta pri-o-ri-*ta*-rya
court(e) *corto/a* m/f *kor*-to/a
coussin *cuscino* m kou-*chi*-no
couteau *coltello* m kol-*tèl*-lo
coûter *costare* ko-*sta*-ré
couturier *sarto* m *sar*-to
couvert (restaurant) *coperto* m ko-*pèr*-to
couverts *posate* f pl po-*za*-té
couverture *coperta* f ko-*pèr*-ta
crayon *matita* f ma-*ti*-ta
crème (fraîche) *panna* f *pan*-na
  — à raser *crema* f *da barba* *krè*-ma da *bar*-ba
  — bronzante *lozione* f *abbronzante* lo-*tsyo*-né ab-bronn-*dzann*-té
  — solaire *crema* f *solare* *krè*-ma so-*la*-ré
cuillère *cucchiaio* m kouk-*kya*-yo
cuir *cuoio* m *kwo*-yo
cuisine *cucina* f kou-*tchi*-na
cuisiner *cucinare* kou-tchi-*na*-ré
cuisinier/cuisinière *cuoco/a* m/f *kwo*-ko/a
cure-dent *stuzzicadenti* m stou-tsi-ka-*dènn*-ti
cyclisme *ciclismo* m tchi-*kliz*-mo

D

d'ici peu (de temps) *fra poco* fra po·ko

dangereux/dangereuse *pericoloso/a* m/f pé·ri·ko·lo·zo/a

danser *ballare* bal·la·ré

date *data* f da·ta

 — de naissance *data* f *di nascita* da·ta di na·chi·ta

décalage horaire (troubles liés au) *disturbi* m pl *da fuso orario* di·stour·bi da fou·zo o·ra·ryo

défectueux/défectueuse *difettoso/a* m/f di·fét·to·zo/a

dégustation de vins *degustazione* f *dei vini* dé·gou·sta·tsyo·né deille vi·ni

dehors *fuori* fwo·ri

demain *domani* do·ma·ni

démangeaison *prurito* m prou·ri·to

dentifrice *dentifricio* m dénn·ti·fri·tcho

dentiste *dentista* m et f dénn·ti·sta

déodorant *deodorante* m dé·o·do·rann·té

départ *partenza* f par·tènn·tsa

dernier/dernière *ultimo/a* m/f oul·ti·mo/a

derrière *dietro* dyè·tro

dessert *dolce* m dol·tché

destination *destinazione* f dé·sti·na·tsyo·né

diabète *diabete* m dya·bè·té

diapositive *diapositiva* f dya·po·zi·ti·va

diarrhée *diarrea* f dyar·rè·a

dictionnaire *vocabolario* m vo·ka·bo·la·ryo

différent(e) *diverso/a* m/f di·vèr·so/a

 • *differente* dif·fé·rènn·té

dîner *cena* f tchè·na

direct(e) *diretto/a* m/f di·rèt·to/a

direction *direzione* f di·ré·tsyo·né

disquette *dischetto* m di·skèt·to

distributeur (automatique) de billets
 Bancomat m bann·ko·mat • *distributore* m *automatico di biglietti* di·stri·bou·to·ré a·ou·to·ma·ti·ko di bi·lyèt·ti

divorcé(e) *divorziato/a* m/f di·vor·tsya·to/a

doigt *dito* m di·to

dollar *dollaro* m dol·la·ro

dormir *dormire* dor·mi·ré

dos *schiena* f skyè·na

douane *dogana* f do·ga·na

douche *doccia* f do·tcha

douleur *dolore* m do·lo·ré

douloureux/douloureuse *doloroso/a* m/f do·lo·ro·zo/a

doux/douce *dolce* dol·tché

drap *lenzuolo* m lènn·tswo·lo

dur(e) *duro/a* m/f dou·ro/a

E

eau *acqua* f a·kwa

eau minérale *(acqua) minerale* f (a·kwa) mi·né·ra·lé

écharpe *sciarpa* f shar·pa

économique *economico/a* m/f é·ko·no·mi·ko/a

Écosse *Scozia* f sko·tsya

écouter *ascoltare* a·skol·ta·ré

écrire *scrivere* skri·vé·ré

édifice *edificio* m é·di·fi·tcho

effacer *cancellare* kann·tchél·la·ré

église *chiesa* f kyè·za

électricité *elettricità* f é·lét·tri·tchi·ta

en bas *giù* djou

en noir et blanc *in bianco e nero* inn byann·ko é nè·ro

en retard *in ritardo* m/f inn ri·tar·do

en-cas *spuntino* m spounn·ti·no

enceinte *incinta* inn·tchinn·ta

encore *di nuovo* di nwo-vo

enfant *bambino/a* m/f bamm-*bi*-no/a
• *bimbo* m/f bimm-bo/a

ennuyeux/ennuyeuse *noioso/a* m/f no-yo-zo/a

enregistrement (aéroport) *accetazione* f
a-tché-ta-*tsyo*-né

enrhumé(e) *raffredato(a)* m/f raf-fré-*da*-to/a

ensemble *insieme* inn-*syè*-mé

entorse *storta* f stor-ta

entrée *entrata* f ènn-*tra*-ta

entreprise *ditta* f dit-ta

entrer *entrare* ènn-*tra*-ré

épaule *spalla* f spal-la

épouse *moglie* f mo-lyé

épicerie *drogheria* f dro-gué-*ri*-a

escalator *scala* f *mobile* ska-la mo-bi-lé

escaliers *scale* f pl ska-lé

Espagne *Spagna* f spa-nya

Espagnol(e) *spagnolo/a* m/f spa-nyo-lo/a

essayer *provare* pro-*va*-ré

essence *benzina* f bènn-*dzi*-na

essuyer *asciugare* a-chou-*ga*-ré

est *est* m é-ste

estomac *stomaco* m sto-ma-ko

et *e* é

étage *piano* m pya-no

États-Unis d'Amérique *Stati* m pl *Uniti
d'America* sta-ti ou-ni-ti da-mè-ri-ka

été *estate* f é-sta-té

étranger/étrangère *straniero/a* m/f
stra-*nyè*-ro/a

étudiant(e) *studente/studentessa* m/f
stou-*dènn*-té/stou-dènn-*tès*-sa

euro *euro* m inv è-ou-ro

Europe *Europa* f é-ou-*ro*-pa

excellent(e) *ottimo/a* m/f ot-ti-mo/a

excursion *gita* f dji-ta

exposition *esposizione* f é-spo-zi-*tsyo*-né

express *espresso/a* m/f é-sprès-so/a

F

fait(e) à la main *fatto/a a mano* m/f a mano fat-to/a
a ma-no

famille *famiglia* f fa-mi-lya

fatigué(e) *stanco/a* m/f stann-ko/a

fauteuil roulant *sedia* f *a rotelle* sè-dya a
ro-*tèl*-lé

fax *fax* m faks

femme *donna* f don-na • (épouse) *moglie* f
mo-lyé

fenêtre *finestra* f fi-*nè*-stra • (voiture, avion)
finestrino fi-né-*stri*-no

fer à repasser *ferro* m *da stiro* fèr-ro da sti-ro

fermé(e) *chiuso/a (a chiave)* m/f kyou-zo/a
(a kya-vé)

fête *festa* f fè-sta

fiançailles *fidanzamento* m
fi-dann-tsa-*mènn*-to

fiancé(e) *fidanzato/a* m/f fi-dann-*tsa*-to/a

fièvre *febbre* f féb-bré

fil dentaire *filo* m *dentario* fi-lo dènn-*ta*-ryo

fille *figlia* f fi-lya

film *film* m film

fils *figlio* m fi-lyo

fin *fine* f fi-né

finir *finire* fi-ni-ré

flash (d'appareil photo) *flash* m fla-che

fleuriste *fioraio* m et f fyo-*ra*-yo

football *calcio* m *kal*-tcho • terrain de football
campo m *da calcio* kamm-po da *kal*-tcho

forêt *foresta* f fo-rè-sta

forme *forma* f for-ma

fort(e) *forte* m/f for-té

four à micro-ondes *forno* m *a microonde* for-no
a mi-kro-onn-dé

fourchette *forchetta* f for-*kèt*-ta

fragile *fragile* fra-dji-lé

frais/fraîche *fresco/a* m/f *frè*·sko/a
France *Francia* f *frann*·tcha
Français(e) *francese* m et f *frann*·tchè·zé
frère *fratello* m *fra*·tèl·lo
frigidaire *frigorifero* m *fri*·go·ri·fé·ro
frire *friggere* m *fri*·djé·ré
froid(e) *freddo/a* m/f *frèd*·do/a
fromage *formaggio* m *for*·ma·djo
frontière *confine* m *konn*·fi·né
fruit *frutto* m *frout*·to
fumer *fumare* fou·*ma*·ré
fuseau horaire *fuso orario* fou·zo o·ra·ryo
• **différence de fuseau horaire** *differenza* f *di fuso orario* dif·fé·rènn·tsa di *fou*·zo o·ra·ryo

G

galerie d'art *galleria* f *d'arte* gal·lé·ri·a *dar*·té
gants *guanti* m pl *gwann*·ti
gare *stazione* f sta·*tsyo*·né
— **ferroviaire** *stazione* f *ferroviaria* sta·*tsyo*·né fér·ro·vya·rya
— **routière** *stazione* f *d'autobus* sta·*tsyo*·né *da*·ou·to·bou·se
gastroentérite *gastroenterite* f ga·stro·ènn·té·ri·té
gauche *sinistra* f si·*ni*·stra
gay *gay* gueille
gaz *gas* m gaz
gendarmerie *carabinieri* m pl ka·ra·bi·*nyé*·ri
genou *ginocchio* m dji·*nok*·kyo
gentil(le) *gentile* djènn·*ti*·lé
gilet de sauvetage *giubbotto* m *di salvataggio* djoub·*bot*·to di sal·va·*ta*·djo
glace (eau) *ghiaccio* m *guya*·tcho
• **(crème glacée)** *gelato* m djé·*la*·to
golf *golf* m golf • **terrain de golf** *campo* m *da golf* kamm·po da golf

gorge *gola* f *go*·la
gourde *borraccia* f bor·*ra*·tcha
grand(e) *grande* grann·dé
— **magasin** *grande magazzino* m *grann*·dé ma·ga·*dzi*·no
grand-mère *nonna* f *non*·na
grand-père *nonno* m *non*·no
gratuit(e) *gratuito/a* m/f *gra*·tou·i·to/a
grille-pain *tostapane* m to·sta·*pa*·né
grippe *influenza* f *inn*·flou·*ènn*·tsa
gris(e) *grigio/a* m/f *gri*·djo/a
gros/grosse *grasso/a* m/f *gras*·so/a
groupe *gruppo* m *group*·po
— **sanguin** *gruppo* m *sanguigno* *group*·po sann·*gwi*·nyo
guide *guida* f *gwi*·da
— **des spectacles** *guida* f *agli spettacoli* *gwi*·da a·lyi spét·*ta*·ko·li
— **touristique** *guida* f *turistica* *gwi*·da tou·ri·sti·ka

H

handicapé(e) *disabile* m et f di·*za*·bi·lé
haut(e) *alto/a* m/f *al*·to/a
heure *ora* f o·ra
heureux/heureuse *felice* m/f fé·*li*·tché
hier *ieri* yè·ri
hiver *inverno* m inn·*vèr*·no
homme *uomo* m *wo*·mo
homme/femme d'affaires *uomo/donna d'affari* m/f *wo*·mo/*don*·na daf·*fa*·ri
homosexuel(le) *omosessuale* m et f o·mo·sés·sou·a·lé
hôpital *ospedale* m o·spé·*da*·lé
horaire *orario* m o·ra·ryo
— **d'ouverture** *orario* m *di apertura* o·ra·ryo di a·pér·*tou*·ra

horloge *orologio* m o·ro·*lo*·djo
horrible *orrendo/a* m/f or·*rènn*·do/a
hôtel *albergo* m al·*bèr*·go
huile *olio* m *o*·lyo

I

ici *qui* kwi
il *lui* louille
île *isola* f i·zo·la
imperméable *impermeabile* m
  imm·pér·mé·*a*·bi·lé
important(e) *importante* imm·por·*tann*·té
impossible *impossibile* imm·pos·*si*·bi·lé
imprimante *stampante* f stamm·*pann*·té
incident *incidente* m inn·tchi·*dènn*·té
inconfortable *scomodo/a* m/f *sko*·mo·do/a
indigestion *indigestione* f inn·di·djé·*styo*·né
indiquer *indicare* inn·di·*ka*·ré
infection *infezione* f inn·fé·*tsyo*·né
infirmier/infirmière *infermiere/a* m/f
  inn·fér·*myè*·ré/a
informations *informazioni* f pl
  inn·for·ma·*tsyo*·ni
informatique *informatica* f inn·for·*ma*·ti·ka
ingénieur(e) *ingegnere* m et f inn·djé·*nyè*·ré
injection *iniezione* f i·nyé·*tsyo*·né
insecte *insetto* m inn·*sèt*·to
Internet *Internet* m inn·tér·nète
interprète *interprete* m/f inn·tér·pré·té
intervalle *intervallo* m inn·tér·*val*·lo
Irlande *Irlanda* f ir·*lann*·da
itinéraire *itinerario* m i·ti·né·*ra*·ryo
ivre *ubriaco/a* m/f ou·bri·*a*·ko/a

J

jambe *gamba* f *gamm*·ba
jardin *giardino* m djar·*di*·no
jaune *giallo/a* m/f *djal*·lo/a
jeans *jeans* m pl djinn·se
jeu *gioco* m *djo*·ko
jour *giorno* m *djor*·no
  — **de l'an** *Capodanno* m ka·po·*dan*·no
journal *giornale* m djor·*na*·lé
journaliste *giornalista* m et f djor·na·*li*·sta
jumeaux/jumelles *gemelli/e* m/f pl djé·*mèl*·li/é
jupe *gonna* f *gon*·na
jusqu'à *fino a* *fi*·no a

K

kilo *chilo* m *ki*·lo
kilomètre *chilomètre* m ki·*lo*·mé·tro
kiosque (à journaux) *edicola* f é·*di*·ko·la
kit *valigetta* f va·li·*djét*·ta
  — **de secours** *valigetta* f del pronto soccorso
  va·li·*djét*·ta dél *pronn*·to sok·*kor*·so

L

là *là* la
lac *lago* m *la*·go
laine *lana* f *la*·na
lait *latte* m *lat*·té
lames de rasoir *lamette* f pl *(da barba)*
  la·*mèt*·té *(da bar*·ba)
langue *lingua* f *linn*·gwa
laver *lavare* la·*va*·ré
laverie automatique *lavanderia* f a gettone
  la·vann·dé·*ri*·a a djét·*to*·né
léger/légère *leggero/a* m/f lé·*djè*·ro/a

légumes verts *verdura* f vèr-*dou*-ra

lentement *lentamente* lénn-ta-*mènn*-té

lentilles de contact *lenti* f pl *a contatto* lènn-ti a konn-*tat*-to

lesbienne *lesbica* f lè-*sbi*-ka

lettre *lettera* f lèt-té-ra

librairie *libreria* f li-bré-*ri*-a

libre *libero/a* m/f li-bé-ro/a

ligne aérienne *linea* f *aerea* li-nè-a a-è-rè-a

ligne téléphonique directe *telefono* m *diretto* té-lè-fo-no di-*rèt*-to

limite de vitesse *limite* m *di velocità* li-mi-té di vé-lo-tchi-*ta*

lingerie *biancheria* f *intima* byann-ké-*ri*-a *inn*-ti-ma

lit *letto* m lèt-to

   — à deux places *letto* m *matrimoniale* lèt-to ma-tri-mo-*nya*-lé

lits jumeaux *due letti* dou-é lèt-ti

livre *libro* m li-bro

local(e) *locale* lo-ka-lé

location de voitures *autonoleggio* m a-ou-to-no-lè-djo

logement *alloggio* m al-*lo*-djo

loi *legge* f lè-djé

loin *lontano* lonn-*ta*-no

long/longue *lungo/a* m/f lounn-go/a

louer *noleggiare* no-lè-*dja*-ré

lourd(e) *pesante* pé-*zann*-té

lubrifiant *lubrificante* m lou-bri-fi-*kann*-té

lumière *luce* f lou-*tché*

lune *luna* f lou-na

   — de miel *luna* f *di miele* lou-na di myè-lé

lunettes *occhiali* m pl ok-*kya*-li

   — de soleil *occhiali* m pl *da sole* ok-*kya*-li da *so*-lé

M

machine à laver *lavatrice* f la-va-*tri*-tché

magasin *negozio* m né-*go*-tsyo

   — d'alimentation *alimentari* m pl a-li-mènn-*ta*-ri

   — d'articles de sport *negozio* m *di articoli sportivi* né-*go*-tsyo di ar-*ti*-ko-li spor-*ti*-vi

   — de chaussures *negozio* m *di scarpe* né-*go*-tsyo di skar-*pé*

   — de souvenirs *negozio* m *di souvenir* né-*go*-tsyo di sou-ve-*nir*

   — de vêtements *negozio* m *di abbigliamento* né-*go*-tsyo di ab-bi-lya-*mènn*-to

   — de vins *bottiglieria* f bot-ti-lyé-*ri*-a

magazine *rivista* f ri-*vi*-sta

mail *email* m é-*mèl*

maillot de bain *costume* m *da bagno* ko-*stou*-mé da *ba*-nyo

main *mano* f *ma*-no

maintenant *adesso* a-*dès*-so

maison *casa* f *ka*-za

mal à la tête *mal* m *di testa* mal di tè-sta

mal de dents *mal* m *di denti* mal di *dènn*-ti

mal de mer *mal* m *di mare* mal di *ma*-ré

mal de ventre *mal* m *di pancia* mal di *pann*-tcha

mal des transports (avion) *mal* m *di aereo* mal di a-è-rè-o • **(voiture)** *mal* m *di macchina* mal di *mak*-ki-na

malade *malato/a* m/f ma-*la*-to/a

maladie *malattia* f ma-lat-*ti*-a

manager *manager* m *ma*-na-djeur

manteau *cappotto* m kap-*pot*-to

maquillage *trucco* m *trouk*-ko

marché *mercato* m mèr-*ka*-to

marcher *camminare* kam-mi-*na*-ré

mari *marito* m ma-*ri*-to

marié(e) *sposato/a* m/f spo·*za*·to/a
marron *marrone* m/f mar·*ro*·né
massage *massaggio* m mas·*sa*·djo
match *partita* f par·*ti*·ta
matin *mattina* f mat·*ti*·na
méchant(e) *cattivo/a* m/f kat·*ti*·vo/a
médecin *medico* m mè·di·ko
médecine *medicina* f mé·di·*tchi*·na
meilleur(e) *migliore* mi·*lyo*·ré
menu *menu* m mé·*nou*
mer *mare* m *ma*·ré
mère *madre* f *ma*·dré
message *messaggio* m més·*sa*·djo
métier *mestiere* m mé·*styè*·ré
métro(politain) *metropolitana* f
     mé·tro·po·li·*ta*·na
millimètre *millimetro* m mil·*li*·mé·tro
mini-dictionnaire *vocabolarietto* m
     vo·ca·bo·la·*rièt*·to
minuit *mezzanotte* f mé·dza·*not*·té
minute *minuto* m mi·*nou*·to
miroir *specchio* m *spèk*·kyo
mode *moda* f *mo*·da
modem *modem* m *mo*·dème
moderne *moderno/a* m/f mo·*dèr*·no/a
moins *(di) meno* (di) mè·no
mois *mese* m mè·zé
monnaie (pièces) *spiccioli* m pl *spi*·tcho·li
     • **(reste)** *resto* m *rè*·sto
montagne *montagna* f monn·*ta*·nya
monter dans *salire su* sa·*li*·ré su
montrer *mostrare* mo·*stra*·ré
moteur *motore* m mo·*to*·ré
mouchoir *fazzoletto* m fa·tso·*lèt*·to
mouchoirs en papier *fazzolettini* m pl *di carta*
     fa·tso·lét·*ti*·ni di *kar*·ta
musée *museo* m mou·*zè*·o
musique *musica* f *mou*·zi·ka

N

nager *nuotare* nwo·*ta*·ré
neige *neve* f nè·vé
nettoyage *pulizia* f pou·li·*tsi*·a
Noël *Natale* m na·*ta*·lé
noir *nero/a* m/f nè·ro/a
nom *nome* m *no*·mé
     — **de famille** *cognome* m ko·*nyo*·mé
nombre *numero* m *nou*·mé·ro
non *no* no
non-fumeur m *non fumatore* nonn
     fou·ma·*to*·ré
nord *nord* m norde
nourriture *cibo* m *tchi*·bo
     — **pour bébé** *cibo* m *da bebè* *tchi*·bo da
     bé·*bè*
nouveau/nouvelle *nuovo/a* m/f *nwo*·vo/a
nouvelles *notizie* f pl no·*ti*·tsyé
nuit *notte* f *not*·té

O

objectif *obiettivo* m o·*byèt*·ti·vo
océan *oceano* m o·*tché*·a·no
odeur *odore* m o·*do*·ré
œil *occhio* m *ok*·kyo
office du tourisme *ufficio* m *del turismo*
     ouf·*fi*·tcho dél tou·*riz*·mo
ombre *ombra* f *omm*·bra
or *oro* m *o*·ro
orange (couleur) *arancione* a·rann·*tcho*·né
     • **(fruit)** *arancia* f a·*rann*·tcha
ordinateur *computer* m komm·*pyou*·teur
ordonnance *ricetta* f ri·*tchèt*·ta
oreille *orecchio* m o·*rèk*·kyo
où *dove* do·vé
ouest *ovest* m o·*vés*·te

Dictionnaire français/italien

oui *sì* sì

ouvert(e) *aperto/a* m/f a-*pèr*-to/a

ouvre-boîte(s) *apriscatole* m a-pri-*ska*-to-lé

ouvre-bouteille(s) *apribottiglie* m
a-pri-bot-*ti*-lyé

ouvrir *aprire* a-*pri*-ré

P

paiement *pagamento* m pa-ga-*mènn*-to

pain *pane* m pa-né

pain grillé *pane* m *tostato* pa-né to-*sta*-to

palais *palazzo* m pa-*la*-tso

pantalon *pantaloni* m pl pann-ta-*lo*-ni

papetier *cartolaio* m kar-to-*la*-yo

papier *carta* f *kar*-ta

papier toilette *carta* f *igienica* kar-ta i-djè-ni-ka

Pâques *Pasqua* f pa-skwa

paquet *pacchetto* m pak-*kèt*-to

par jour *al giorno* al *djor*-no

parapluie *ombrello* m omm-*brèl*-lo

parc *parco* m par-ko

parce que *perché* pér-*ké*

parents *genitori* m pl djé-ni-*to*-ri

parfum *profumo* m pro-*fou*-mo

parler *parlare* par-*la*-ré

partager *condividere* konn-di-*vi*-dé-ré

partir *partire* par-*ti*-ré

passager/passagère *passeggero/a* m/f
pas-sé-djè-ro/a

passeport *passaporto* m pas-sa-*por*-to

Pays-Bas *Paesi Bassi* m pl pa-è-zi bas-si

pêche (activité) *pesca* f *pé*-ska

peigne *pettine* m *pèt*-ti-né

peintre *pittore/pittrice* m/f pit-*to*-ré/pit-*tri*-tché

peinture *pittura* f pit-*tou*-ra

penderie *guardaroba* m gwar-da-*ro*-ba

pénis *pene* m pè-né

pension *pensione* f pènn-*syo*-né

perdu(e) *perso/a* m/f *pèr*-so/a

père *padre* m pa-dré

permis de conduire *patente* f *(di guida)*
pa-*tènn*-té (di *gwi*-da)

petit(e) *piccolo/a* m/f *pik*-ko-lo/a

petit(e) ami(e) *ragazzo/a* m/f ra-*ga*-tso/a

petit-déjeuner *(prima) colazione* f *(pri*-ma)
ko-la-*tsyo*-né

petite boîte *scatoletta* f ska-to-*lèt*-ta

petite cuillère *cucchiaino* m kouk-kya-*i*-no

petit-fils/petite-fille *nipote* m et f *ni*-po-té

pharmacie *farmacia* f far-ma-*tchi*-a

pharmacien(ne) *farmacista* m et f
far-ma-*tchi*-sta

photo *foto* f *fo*-to

photographe *fotografo* m fo-*to*-gra-fo

photographie *fotografia* f fo-to-gra-*fi*-a

pièce de théâtre *commedia* f kom-*mè*-dya

pièces (de monnaie) *monete* f pl mo-*nè*-té

pied *piede* m pyè-dé

pile *pila* f *pi*-la

pilule *pillola* f *pil*-lo-la

pince à épiler *pinzette* f pl pinn-*tsè*-té

pique-nique *picnic* m *pik*-nik

piscine *piscina* f pi-*chi*-na

place *piazza* f *pya*-tsa

plage *spiaggia* f *spya*-dja

plaire *piacere* pya-*tchè*-ré

plan *pianta* f *pyann*-ta

plein(e) *pieno/a* m/f *pyè*-no/a

pluie *pioggia* m *pyo*-dja

plus *(di) più* *(di) pyou*

pneu *gomma* f *gom*-ma

poêle (à frire) *padella* f pa-*dèl*-la

• **(chauffage)** *stufa* f *stou*-fa

poissonnerie *pescheria* f pé-ské-*ri*-a

poitrine *petto* m *pèt*-to

police *(nationale)* *polizia* f po-li-*tsi*-a

pollen *polline* m *pol*-li-né

pont *ponte* m *ponn*-té

posemètre *esposimetro* m é-spo-zi-*mé*-tro

poste *posta* f *po*-sta

poulet *pollo* m *pol*-lo

pourboire *mancia* f *mann*-tcha

pourquoi *perché* pér-*ké*

précieux/précieuse *prezioso/a* m/f pré-*tsyo*-zo/a

première *prima classe* f *pri*-ma *klas*-sé

près (de) *vicino (a)* vi-*tchi*-no (a)

préservatif *preservativo* m pré-zér-va-*ti*-vo

pressing *lavanderia* f la-vann-dé-*ri*-a

printemps *primavera* f *pri*-ma-*vè*-ra

prise (électrique) *spina* f *spi*-na

prise multiple *spina* f *multipla* *spi*-na *moul*-ti-pla

privé(e) *privato/a* m/f pri-*va*-to/a

prix *prezzo* m *prè*-tso

— **du billet** *prezzo* m *d'ingresso* *prè*-tso dinn-*grès*-so

problème cardiaque *problema* m *cardiaco* pro-*blè*-ma kar-*di*-a-ko

prochain(e) *prossimo/a* m/f *pros*-si-mo/a

proche *vicino/a* m/f vi-*tchi*-no/a

produits artisanaux *oggetti* m pl *d'artigianato* o-*djèt*-ti dar-ti-dja-*na*-to

promenade *passeggiata* f pas-*sé*-dja-ta

propre *pulito/a* m/f pou-*li*-to/a

provisions alimentaires *provviste* m pl *alimentari* prov-*vi*-sté a-li-mènn-*ta*-ri

pub *pub* m poub

pull *maglione* m ma-*lyo*-né

quai *binario* m bi-*na*-ryo

quand *quando* *kwann*-do

quelques *alcuni/e* m/f pl al-*kou*-ni/é

qui *chi* ki

quinze jours *quindici giorni* m pl *kwinn*-di-tchi *djor*-ni

randonnée pédestre *escursionismo* m *a piedi* é-skour-syo-*niz*-mo a *pyè*-dé

rapide *veloce* m/f vé-*lo*-tché

rapports sexuels protégés *rapporti* m pl *protetti* rap-*por*-ti pro-*têt*-ti

rare *raro/a* m/f *ra*-ro/a

raser *fare la barba* *fa*-ré la *bar*-ba

rasoir *rasoio* m *(elettrico)* ra-zo-yo (é-*lêt*-tri-ko)

recommandé, en *(posta)* *raccomandata* f *(po*-sta) rak-ko-mann-*da*-ta

recommander *raccomandare* rak-ko-mann-*da*-ré

reçu *ricevuta* f ri-tché-*vou*-ta

réfrigérateur *frigo* m *fri*-go

regarder *guardare* gwar-*da*-ré

remboursement *rimborso* m rimm-*bor*-so

rendez-vous *appuntamento* m ap-pounn-ta-*mènn*-to

réparer *riparare* ri-pa-*ra*-ré

repas *pranzo* m *prann*-dzo

— **froid** *pasto* m *freddo* *pa*-sto *frèd*-do

réservation *prenotazione* f pré-no-ta-*tsyo*-né

réserver *prenotare* pré-no-*ta*-ré

restaurant *ristorante* m ri-sto-*rann*-té

retard *ritardo* m ri-*tar*-do

retrait des bagages *ritiro* m *bagagli* ri-*ti*-ro ba-*ga*-lyi

retraité(e) *pensionato/a* m/f pènn·syo·*na*·to/a

réveil *sveglia* f své·lya

rhume des foins *febbre* f *da fieno* fèb·bré da *fyè*·no

rien *niente* nyènn·té

ristourne *sconto* m *skonn*·to

rivière *fiume* m *fyou*·mé

robe *abito* m a·*bi*·to

robinet *rubinetto* m rou·bi·*nèt*·to

roi *re* m ré

romantique *romantico/a* m/f ro·*mann*·ti·ko/a

rose *rosa* m/f *ro*·za

rouge *rosso/a* m/f *ros*·so/a

— **à lèvres** *rossetto* m ros·*sèt*·to

ruines *rovine* f pl ro·*vi*·né

sac *borsa* f *bor*·sa

sac à dos *zaino* m *dza*·i·no

sac à main *borsetta* f bor·*sèt*·ta

sac de couchage *sacco* m *a pelo* *sak*·ko a *pè*·lo

sachet *sacchetto* m sak·*kèt*·to

Saint-Sylvestre *san Silvestro* m sann sil·*vè*·stro

saison *stagione* f sta·*djo*·né

sale *sporco/a* m/f *spor*·ko/a

salle d'attente *sala* f *d'attesa* *sa*·la dat·*tè*·sa

salle de bain(s) *bagno* m *ba*·nyo

salle de gym *palestra* f pa·*lè*·stra

salle de transit *sala* f *di transito* *sa*·la di *trann*·zi·to

salon de coiffure *parrucchiere* m par·rou·*kyè*·ré

sang *sangue* m *sann*·gwé

sans *senza* *sènn*·tsa

savon *sapone* m sa·*po*·né

savoureux/savoureuse *gustoso/a* m/f gou·*sto*·zo/a

science *scienza* f *chènn*·tsa

sculpture *scultura* f skoul·*tou*·ra

se plaindre *lamentarsi* la·mènn·*tar*·si

se réveiller *svegliarsi* své·*lyar*·si

sec/sèche *secco/a* m/f *sèk*·ko/a

seconde classe *seconda classe* f sé·*konn*·da *klas*·sé

self-service *self-service* self·*sèr*·vi·se

semaine *settimana* f sét·ti·*ma*·na

sentir *sentire* sènn·*ti*·ré

serveur/serveuse *cameriere/a* m/f ka·mé·*ryè*·ré/a

service *servizio* m sér·*vi*·tsyo

serviette *asciugamano* m a·chou·ga·*ma*·no

— **de table** *tovagliolo* m to·va·*lyo*·lo

— **hygiénique** *salva slip* m *sal*·va slipe

• *pannolino* m pan·no·*li*·no

serviettes hygiéniques *assorbenti* m pl *igienici* as·sor·*bènn*·ti i·*djè*·ni·tchi

seul(e) *da solo/a* m/f da so·*lo*/a

sexe *sesso* m *sès*·so

short *pantaloncini* m pl pann·ta·lonn·*tchi*·ni

siège *posto* m *po*·sto

— **enfant** *seggiolino* m sé·djo·*li*·no

sirop pour la toux *sciroppo* m *per la tosse* chi·*rop*·po pér la *tos*·sé

ski *sci* m chi

sœur *sorella* f so·*rèl*·la

soie *seta* f *sé*·ta

soir *sera* f *sé*·ra

soleil *sole* m so·lé

sombre *scuro/a* m/f *skou*·ro/a

sortie *uscita* f ou·*chi*·ta

soutien-gorge *reggiseno* m ré·dji·*sè*·no

souvenir *ricordino* m ri·kor·*di*·no

sparadrap *cerotti* m pl tché·*rot*·ti

station de métro *stazione* f *della metropolitana* sta·*tsyo*·né *dèl*·la mé·tro·po·li·*ta*·na

station de taxis *posteggio* m *di tassì* po·stè·djo di tas·*sí*

station-service *distributore* m di·stri·bou·*to*·ré
  • **stazione** f *di servizio* sta·*tsyo*·né di sér·*vi*·tsyo
stylo (à bille) *penna* f *(a sfera)* pèn·na (a *sfè*·ra)
sucette *ciucciotto* m tchou·*tchot*·to
Suisse *Svizzera* f *svit*·tsé·ra
Suisse *svizzero/a* m/f *svit*·tsé·ro/a
sud *sud* m soude
supermarché *supermercato* m sou·pér·mér·*ka*·to
supporter *tifoso/a* m/f ti·*fo*·zo/a
sur *su* sou
sur(e) *sicuro/a* m/f si·*kou*·ro/a

T

taie (d'oreiller) *federa* f fé·dé·ra
taille-crayon *temperino* m tèmm·pé·*ri*·no
tampons *tamponi* m pl tamm·*po*·ni
tante *zia* f *tsi*·a
tasse *tazza* f *ta*·tsa
taux de change *tasso* m *di cambio* tas·so di *kamm*·byo
taxe d'aéroport *tassa* f *aeroportuale* tas·sa a·é·ro·por·tou·*a*·lé
taxi *tassì* m tas·*si*
tee-shirt *maglietta* f ma·*lyèt*·ta
télécommande *telecomando* m té·lé·ko·*mann*·do
télégramme *telegramma* m té·lé·*gram*·ma
téléphone *telefono* m té·*lè*·fo·no
  — **public** *telefono* m *pubblico* té·*lè*·fo·no *poub*·bli·ko
téléphoner *telefonare* té·lé·fo·*na*·ré
télésiège *seggiovia* f sé·djo·*vi*·a
télévision *televisione* f té·lé·vi·*zyo*·né
tennis *tennis* m tèn·ni·se • **terrain de tennis** *campo* m *da tennis* *kamm*·po da tèn·ni·se

terrain de golf *campo* m *da golf* *kamm*·po da golf
tête *testa* f tè·sta
tétine *ciucciotto* m tchou·*tchot*·to
thé *tè* m tè
théâtre *teatro* m té·*a*·tro
tiède *tiepido/a* m/f *tyè*·pi·do/a
timbre *francobollo* m frann·ko·*bol*·lo
toilettes *gabinetto* m ga·bi·*nèt*·to
tonalité *segnale* m *(acustica)* sé·*nya*·lé (a·*kou*·sti·ko)
torche électrique *torcia* f *elettrica* tor·tcha é·*lèt*·tri·ka
touriste *turista* m et f tou·*ri*·sta
tous/toutes *tutti/e* m/f tout·ti/é
tousser *tossire* tos·*si*·ré
tout(e) *tutto/a* m/f *tout*·to/a
traduire *tradurre* tra·*dour*·ré
train *treno* m trè·no
tranche *fetta* f fét·ta
tranquille *tranquillo/a* m/f trann·*kwil*·lo/a
travail *lavoro* m la·*vo*·ro
trop (cher/chère) *troppo (caro/a)* trop·po (*ka*·ro/a)
trottoir *marciapiede* m mar·tcha·*pyé*·dé
tu *tu* tou

U

université *università* f ou·ni·vér·si·*ta*
urgence *emergenza* f é·mér·*djènn*·tsa
urgent(e) *urgente* m/f our·*djènn*·té

V

vacances *vacanza* f va·*kann*·tsa
vaccination *vaccinazione* f va·tchi·na·*tsyo*·né
vagin *vagina* f va·*dji*·na

valider *convalidare* konn·va·li·*da*·ré

valise *valigia* f va·*li*·dja

végétarien(ne) *vegetariano/a* m/f
vé·djé·ta·*rya*·no/a

ventilateur *ventilatore* m vènn·ti·la·*to*·ré

vert(e) *verde* vèr·dé

veste *giacca* f *djak*·ka

vestiaire *spogliatoio* m spo·lya·*to*·yo

vêtement(s) *abbigliamento* m
ab·bi·lya·*mènn*·to

viande *carne* f *kar*·né

vide *vuoto/a* m/f *vwo*·to/a

vidéo *videonastro* m vi·dé·o·*na*·stro

vignette *bollo* m *di circolazione* *bol*·lo di
tchir·ko·la·*tsyo*·né

ville *città* f tchit·*ta*

vin *vino* m *vi*·no

violet *viola* *vyo*·la

visa *visto* m *vi*·sto

visage *faccia* f *fa*·tcha

visite guidée *visita f guidata* *vi*·zi·ta gwi·*da*·ta

voiture *macchina* f *mak*·ki·na

vol (dans les airs) *volo* m *vo*·lo
  • **(escroquerie)** *furto*

volé(e) (escroquerie) *rubato/a* m/f
rou·*ba*·to/a

voler (dans les airs) *volare* vo·*la*·ré
  • **(escroquerie)** *rubare*

vous (de politesse) *Lei* sg leille
  • *Loro* pl *lo*·ro

voyage *viaggio* m *vya*·djo
  — **d'affaires** *viaggio* m *d'affari* *vya*·djo
daf·*fa*·ri

vue *vista* f *vi*·sta

W

wagon-lit *vagone* m *letto* va·*go*·né *lèt*·to

wagon-restaurant *carrozza* f *ristorante*
kar·*ro*·tsa ri·sto·*rann*·té

week-end *fine settimana* m *fi*·né sét·ti·*ma*·na

Z

zoo *giardino* m *zoologico* djar·*di*·no
dzo·o·*lo*·dji·ko

A

abbastanza ab·ba·*stann*·tsa *assez*

abbigliamento m ab·bi·lya·*mènn*·to *vêtement(s)*

abito m a·*bi*·to *robe*

accetazione f a·tché·ta·*tsyo*·né *enregistrement (aéroport)*

acqua f **minerale** a·kwa mi·né·*ra*·lé *eau minérale*

adesso a·*dès*·so *maintenant*

aeroporto m a·é·ro·*por*·to *aéroport*

affari m pl af·*fa*·ri *affaires*

agenzia f **di viaggio** a·djènn·*tsi*·a di *vya*·djo *agence de voyages*

aiutare a·you·*ta*·ré *aider*

albergo m al·*bèr*·go *hôtel*

alloggio m al·*lo*·djo *logement*

altro ieri m al·tro yè·ri *avant-hier*

ambasciata f amm·ba·*cha*·ta *ambassade*

amico/a m/f a·*mi*·ko/a *ami(e)*

anno m *an*·no *année*

aperto/a m/f a·*pèr*·to/a *ouvert(e)*

appuntamento m ap·pounn·ta·*mènn*·to *rendez-vous*

arancia f a·*rann*·tcha *orange (fruit)*

arancione a·rann·*tcho*·né *orange (couleur)*

aria f **condizionata** a·rya konn·di·tsyo·*na*·ta *air conditionné*

armadietti m pl **per i bagagli** ar·ma·*dyèt*·ti pér i ba·*ga*·lyi *casier à bagages*

arrivi m pl ar·*ri*·vi *arrivée*

assegno m **di viaggio** as·*sè*·nyo di *vya*·djo *chèque de voyage*

assicurazione f as·si·kou·ra·*tsyo*·né *assurance*

autobus m a·ou·to·bou·se *(auto)bus*

autonoleggio m a·ou·to·no·*lè*·djo *location de voitures*

azzurro/a m/f a·*dzou*·ro/a *bleu (clair)*

B

bagaglio m ba·*ga*·lyo *bagage*

bagaglio m **in eccedenza** ba·*ga*·lyo inn é·tché·*dènn*·tsa *excédent de bagages*

bagaglio m **consentito** ba·*ga*·lyo konn·sènn·*ti*·to *bagage autorisé*

bagno m *ba*·nyo *bain • salle de bains • toilettes*

bambino/a m/f bamm·*bi*·no/a *enfant*

Bancomat m *bann*·ko·mat *distributeur (automatique) de billets • carte bancaire*

barca f *bar*·ka *barque*

bebé m et f bé·*bé* *bébé*

bello/a m/f *bèl*·lo/a *beau/belle*

bere bè·ré *boire*

bevanda f bé·*vann*·da *boisson*

biancheria f **intima** byann·ké·*ri*·a *inn*·ti·ma *lingerie • sous-vêtements*

bianco/a m/f *byann*·ko/a *blanc/blanche*

bicicletta f bi·tchi·*klèt*·ta *bicyclette*

biglietteria f bi·lyét·té·*ri*·a *billetterie*

biglietto m bi·*lyèt*·to *billet*

biglietto m **di andata e ritorno** bi·*lyèt*·to di ann·*da*·ta é ri·*tor*·no *billet aller-retour*

bimbo/a m/f bimm·bo/a *enfant*

binario m bi·*na*·ryo *rail*

birra f *bir*·ra *bière*

blu blou *bleu (foncé)*

bollo m **di circolazione** *bol*·lo di tchir·ko·la·*tsyo*·né *vignette (véhicule)*

borsa f *bor*·sa *sac*

bottiglia f bot·*ti*·lya *bouteille*

C

cabina f **telefonica** ka-*bi*-na té-lé-*fo*-ni-ka *cabine téléphonique*

caffè m kaf-*fè café*

caldo m *kal*-do *chaleur*

calzini m pl kal-*tsi*-ni *chaussettes*

cambiare kamm-*bya*-ré *changer*

cambio m *kamm*-byo *échange*

cambio m **valuta** *kamm*-byo va-*lou*-ta *change*

camera f **doppia** *ka*-mé-ra *dop*-pya *chambre double*

camera f **da letto** *ka*-mé-ra da *lèt*-to *chambre à coucher*

camera f **singola** *ka*-mé-ra *sinn*-go-la *chambre simple*

camicia f ka-*mi*-tcha *chemise*

camminare kam-mi-*na*-ré *marcher*

campagna f kamm-*pa*-nya *campagne*

cancellare kann-tchél-*la*-ré *effacer*

cane m *ka*-né *chien*

cappello m kap-*pèl*-lo *chapeau*

cappotto m kap-*pot*-to *manteau*

carne f *kar*-né *viande*

caro/a m/f *ka*-ro/a *cher/chère*

carrozza f **ristorante** kar-*ro*-tsa ri-sto-*rann*-té *wagon-restaurant*

carta f *kar*-ta *papier • carte*

carta f **di credito** *kar*-ta di *krè*-di-to *carte de crédit*

carta f **d'identità** *kar*-ta di-*dènn*-ti-*ta carte d'identité*

carta f **d'imbarco** *kar*-ta dimm-*bar*-ko *carte d'embarquement*

cartolaio m kar-to-*la*-yo *papetier*

cartolina f kar-to-*li*-na *carte postale*

cassiere/a m/f kas-*syè*-ré/a *caissier/caissière*

cattivo/a m/f kat-*ti*-vo/a *méchant(e)*

celibe m *tchè*-li-bé *célibataire (homme)*

cellulare m tchél-lou-*la*-ré *téléphone portable*

cena f *tchè*-na *dîner*

centro m **commerciale** *tchènn*-tro kom-mér-*tcha*-lé *centre commercial*

chi ki *qui*

chiave f *kya*-vé *clef*

chiuso/a m/f *kyou*-zo/a fermé(e) • *clos(e)*

ciascuno/a m/f *tcha*-*skou*-no/a *chaque • chacun(e)*

cintura f **di sicurezza** *tchinn*-*tou*-ra di si-kou-*rè*-tsa *ceinture de sécurité*

circo m *tchir*-ko *cirque*

città f *tchit*-ta *ville*

classe f **business** *klas*-sé *biz*-ni-se *classe affaires*

classe f **turistica** *klas*-sé tou-ri-sti-ka *classe économique*

collant m kol-*lannt collant*

commedia f kom-*mè*-dya *pièce de théâtre*

comodo/a m/f ko-mo-do/a *confortable*

compagno/a m/f komm-*pa*-nyo/a *compagnon/compagne*

compleanno m komm-plé-*an*-no *anniversaire*

completo/a m/f komm-*plè*-to/a *complet(ète)*

comprare komm-*pra*-ré *acheter*

compreso/a m/f komm-*prè*-zo/a compris(e) • *inclus(e)*

computer m komm-*pyou*-teur *ordinateur*

condividere konn-di-vi-*dé*-ré *partager*

confermare konn-fér-*ma*-ré *confirmer*

confine m konn-*fi*-né *frontière*

congelato/a m/f konn-djé-*la*-to/a *congelé(e)*

conto m *konn*-to *addition*

conto m **in banca** *konn*-to inn *bann*-ka *compte bancaire*

convalidare konn-va-li-*da*-ré *valider*

coperta f ko-*pèr*-ta *couverture*

coperto/a m/f ko-*pèr*-to *couvert (restaurant)*

cucina f kou-*tchi*-na *cuisine*

cucinare kou-tchi-*na*-ré *cuisiner*

cuoco/a m/f *kwo*-ko/a *cuisinier/cuisinière*

cuoio m *kwo*-yo *cuir*

cuscino m kou-*chi*-no *coussin • oreiller*

D

data f **di nascita** *da*-ta di *na*-chi-ta
date de naissance

deposito m dé-*po*-zi-to *dépôt*

deposito m **bagagli** dé-*po*-zi-to ba-*ga*-lyi
consigne

diapositiva f dya-po-zi-*ti*-va *diapositive*

dimensioni f pl di-mènn-*syo*-ni *dimensions*
• *grandeur*

diretto/a m/f di-*rèt*-to/a *direct(e)*

distributore m **automatico di biglietti**
di-stri-bou-*to*-ré a-ou-to-*ma*-ti-ko di
bi-*lyèt*-ti *distributeur automatique de billets*

doccia f *do*-tcha *douche*

dogana f do-*ga*-na *douane*

domani do-*ma*-ni *demain*

domani mattina do-*ma*-ni mat-*ti*-na *demain
matin*

domani pomeriggio do-*ma*-ni po-mé-*ri*-djo
demain après-midi

domani sera do-*ma*-ni sè-ra *demain soir*

dopodomani do-po-do-*ma*-ni *après-demain*

dormire dor-*mi*-ré *dormir*

dove *do*-vé *où*

drogheria f dro-gué-*ri*-a *épicerie*

E

edicola f é-*di*-ko-la *kiosque (à journaux)*

edificio m é-di-*fi*-tcho *édifice*

elenco m **telefonico** é-*lènn*-ko té-lé-*fo*-ni-ko
annuaire téléphonique

entrare ènn-*tra*-ré *entrer*

entrata f ènn-*tra*-ta *entrée*

erba f *èr*-ba *herbe*

esposizione f é-spo-zi-*tsyo*-né *exposition*

espresso/a m/f é-*sprès*-so/a *express*

est m é-*ste* *est*

estate f é-*sta*-té *été*

F

fagioli m pl fa-*djo*-li *haricots*

famiglia f fa-*mi*-lya *famille*

fantastico/a m/f fann-*ta*-sti-ko/a *fantastique*

farmacia f far-ma-*tchi*-a *pharmacie*

federa f fé-dé-ra *taie (d'oreiller)*

figlia f *fi*-lya *fille*

figlio m *fi*-lyo *fils*

finestra f fi-*nè*-stra *fenêtre*

finestrino m fi-nè-*stri*-no
fenêtre (voiture, avion)

foresta f fo-*rè*-sta *forêt*

fra poco fra *po*-ko *d'ici peu (de temps)*

francobollo m frann-ko-*bol*-lo *timbre*

fratello m fra-*tèl*-lo *frère*

freno m frè-no *frein*

fresco/a m/f frè-*sko*/a *frais/fraîche*

fumare fou-*ma*-ré *fumer*

G

galleria f **d'arte** gal-lé-*ri*-a *dar*-té *galerie d'art*

gas m gaz *gaz*

gentile djènn-*ti*-lé *gentil(le)*

giacca f *djak*-ka *veste*

giallo/a m/f *djal*-lo/a *jaune*

giardino m djar-*di*-no *jardin*

giornale m djor-*na*-lé *journal*

giorno m *djor*-no *jour*

gita f *dji*-ta *excursion*

gonna f *gon*-na *jupe*

grande *grann*-dé *grand(e)*

grande magazzino m *grann*-dé ma-ga-*dzi*-no
grand magasin

gratuito/a m/f gra-*tou*-i-to/a *gratuit(e)*

grigio/a m/f *gri*-djo/a *gris(e)*

gruppo sanguigno *group*-po sann-*gwi*-nyo
groupe sanguin

guanti m *gwann*-ti *gants*

guardaroba m gwar-da-*ro*-ba *penderie*

Dictionnaire italien/français

I

ieri *yè*·ri *hier*

in fondo inn *fonn*·do *au fond • après tout*

in lista d'attesa inn *li*·sta dat·*tè*·za *sur liste d'attente*

in ritardo inn ri·*tar*·do *en retard*

incidente m inn·tchi·*dènn*·té *incident • accident*

influenza f inn·flou·*ènn*·tsa *influence*

informazioni f pl inn·for·ma·*tsyo*·ni *informations • renseignements*

inglese inn·*glè*·zé *anglais(e)*

insieme inn·*syè*·mé *ensemble*

Internet (caffè) m inn·tèr·nète (kaf·*fè*) *café internet*

interprete m/f inn·tèr·*pré*·té *interprète*

intervallo m inn·tèr·*val*·lo *intervalle • entracte*

inverno m inn·*vèr*·no *hiver*

itinerario m i·ti·né·*ra*·ryo *itinéraire*

J

jeans m pl djinn·se *jeans*

L

lana f *la*·na *laine*

latte m *lat*·té *lait*

lavanderia f la·vann·dé·*ri*·a *pressing*

lavanderia f **a gettone** la·vann·dé·*ri*·a a djét·*to*·né *laverie automatique*

lavare la·*va*·ré *laver*

lavarsi la·*var*·si *se laver*

lavatrice f la·va·*tri*·tché *machine à laver*

Lei sg leille *elle • vous (de politesse)*

lettera f *lèt*·té·ra *lettre*

letto m *lèt*·to *lit*

letto m **matrimoniale** *lèt*·to ma·tri·mo·*nya*·lé *lit à deux places*

libreria f li·bré·*ri*·a *librairie*

libretto m **di circolazione** li·*brèt*·to di tchir·ko·la·*tsyo*·né *carte grise*

libro m *li*·bro *livre*

linea f **aerea** *li*·né·a a·é·*ré*·a *ligne aérienne*

Loro pl *lo*·ro *ils • vous (de politesse)*

luna f **di miele** *lou*·na di *myè*·lé *lune de miel*

M

macchina f *mak*·ki·na *voiture • machine*

macchina f **fotografica** *mak*·ki·na fo·to·*gra*·fi·ka *appareil photo*

macelleria f ma·tchél·lé·*ri*·a *boucherie*

madre m *ma*·dré *mère*

maglione m ma·*lyo*·né *pull*

mancia f *mann*·tcha *pourboire*

mangiare mann·*dja*·ré *manger*

marciapiede m mar·tcha·*pyè*·dé *trottoir*

mare m *ma*·ré *mer*

marrone m/f mar·*ro*·né *marron*

mattina f mat·*ti*·na *matin*

medicina f mé·di·*tchi*·na *médecine*

medico m *mè*·di·ko *médecin*

menù m mé·*nou* *menu*

mercato m mér·*ka*·to *marché*

mese m *mè*·zé *mois*

mezzanotte f mè·dza·*not*·té *minuit*

mezzo m *mè*·dzo *moitié*

moda f *mo*·da *mode*

modem m *mo*·dème *modem*

moglie f *mo*·lyé *femme*

montagna f monn·*ta*·nya *montagne*

mostrare mo·*stra*·ré *montrer*

multa f *moul*·ta *amende*

musica f *mou*·zi·ka *musique*

EN DÉTAIL

N

Natale m na·*ta*·lé *Noël*
negozio m né·*go*·tsyo *magasin*
nero/a m/f *nè*·ro/a *noir(e)*
neve f *nè*·vé *neige*
no no *non*
noleggiare no·lé·*dja*·ré *louer*
nome m *no*·mé *nom*
non non *non • ne pas*
non fumatore nonn fou·ma·*to*·ré
  non-fumeurs
nord m norde *nord*
notte f *not*·té *nuit*
nubile f nou·bi·lé *célibataire (femme)*
numero m *nou*·mè·ro *numéro*
numero m di camera nou·mé·ro di *ka*·mé·ra
  numéro de chambre
nuotare nwo·*ta*·ré *nager*

O

occhiali m pl ok·*kya*·li *lunettes*
oggi o·dji *aujourd'hui*
olio m o·lyo *huile*
ora f o·ra *heure*
orario m o·*ra*·ryo *horaire*
orario m di apertura o·ra·ryo di a·pér·*tou*·ra
  heures d'ouverture
oro m o·ro *or*
ospedale m o·spé·*da*·lé *hôpital*
ostello m della gioventù o·*stèl*·lo *dèl*·la
  djo·vènn·*tou* *auberge de jeunesse*
ovest m o·*vé*ste *ouest*

P

padre m pa·*dré* *père*
pagamento m pa·ga·*mènn*·to *paiement*
palazzo m pa·*la*·tso *palais*

pane m pa·*né* *pain*
panetteria f pa·nét·té·ri·a *boulangerie*
pannolino m pan·no·*li*·no
  couche • serviette hygiénique
pantaloni m pl pann·ta·*lo*·ni *pantalon*
parrucchiere m par·rou·*kyè*·ré *salon de coiffure*
partenza f par·*tènn*·tsa *départ*
partire par·*ti*·ré *partir*
passaporto m pas·sa·*por*·to *passeport*
passeggero/a m/f pas·sé·*djè*·ro/a *passager/
  passagère*
passeggiata f pas·sé·*dja*·ta *promenade*
pasticceria f pa·sti·*tché*·ri·a *pâtisserie*
pasto m pa·sto *repas*
patente f (di guida) pa·*tènn*·té (di *gwi*·da)
  permis de conduire
pellicola f pél·*li*·ko·la *pellicule*
penna f (a sfera) *pèn*·na (a sfè·ra)
  stylo (à bille)
pensionato/a m/f pènn·syo·*na*·to/a *retraité(e)*
perché pér·*ké* *pourquoi • parce que*
perso/a m/f *pèr*·so/a *perdu(e)*
pescheria f pé·ské·*ri*·a *poissonnerie*
pezzo m d'antiquariato *pè*·tso
  dann·ti·kwa·*rya*·to *objet ancien*
piano m *pya*·no *étage*
picnic m *pik*·nik *pique-nique*
pila f *pi*·la *pile*
piscina f pi·*chi*·na *piscine*
pittore/pittrice m/f pit·*to*·ré/pit·*tri*·tché
  peintre
pittura f pit·*tou*·ra *peinture*
polizia f po·li·*tsi*·a *police (nationale)*
pomeriggio m po·mé·*ri*·djo *après-midi*
portacenere m por·ta·*tché*·né·ré *cendrier*
portatile m por·*ta*·ti·lé *portable*
posta f *po*·sta *courrier*
posta f ordinaria *po*·sta or·di·*na*·rya *courrier
  ordinaire*

Dictionnaire italien/français

posta f **prioritaria** *po·*sta pri·o·ri·*ta·*rya *courrier prioritaire*

posteggio m **di tassi** po·*stè·*djo di tas·*si station de taxis*

posto m **di polizia** *po·*sto di po·li·*tsi·*a *commissariat*

pranzo m *prann·*dzo *repas*

prenotare pré·no·*ta·*ré *réserver*

preservativo m pré·zér·va·*ti·*vo *préservatif*

presto *prè·*sto *bientôt • tôt • vite*

prezzo m *prè·*tso *prix*

prima classe f *pri·*ma klas·*sé première classe*

prima colazione f *pri·*ma ko·la·*tsyo·*né *petit-déjeuner*

primavera f pri·ma·*vè·*ra *printemps*

prossimo/a m/f *pros·*si·mo/a *prochain(e)*

pulce f *poul·*tché *puce*

pulito/a m/f pou·*li·*to/a *propre*

pulizia f pou·li·*tsi·*a *nettoyage*

pullman m *poul·*mann *bus*

Q

quadro m *kwa·*dro *tableau*

quando *kwann·*do *quand*

qui kwi *ici*

R

raccomandata f rak·ko·mann·*da·*ta (en) *recommandé*

ragazza f ra·*ga·*tsa *fille • petite amie*

ragazzo m ra·*ga·*tso *garçon • petit ami*

regalo m ré·*ga·*lo *cadeau*

reggiseno m ré·dji·*sé·*no *soutien-gorge*

registrazione f ré·dji·stra·*tsyo·*né *enregistrement*

resto m *rè·*sto *monnaie*

ricetta f ri·*tchèt·*ta *recette • ordonnance médicale*

ricevuta f ri·tché·*vou·*ta *reçu*

rimborso m rimm·*bor·*so *remboursement*

riparare ri·pa·ra·ré *réparer*

ritardo m ri·*tar·*do *retard*

ritiro m **bagagli** ri·*ti·*ro ba·*ga·*lyi *retrait des bagages*

ritorno m ri·*tor·*no *retour*

rosa m/f *ro·*za *rose*

rosso/a m/f *ros·*so/a *rouge*

rotto/a m/f *rot·*to/a *cassé(e)*

rubato/a m/f rou·*ba·*to/a *volé(e)*

S

sacchetto m sak·*kèt·*to *sachet*

sacco a pelo *sak·*ko a *pè·*lo *sac de couchage*

sala di transito *sa·*la di *trann·*zi·to *salle de transit*

salumeria f sa·lou·mé·*ri·*a *charcuterie*

salva slip m pl *sal·*va slip *serviette hygiénique*

sarto/a m/f *sar·*to/a *couturier/couturière*

scale f pl *ska·*lé *escaliers*

scarpe f pl *skar·*pé *chaussures*

scatola f *ska·*to·la *boîte*

scheda f **telefonica** *skè·*da té·lé·*fo·*ni·ka *carte téléphonique*

schiena f *skyè·*na *dos*

sconto m *skonn·*to *ristourne*

secco/a m/f *sèk·*ko/a *sec/sèche*

sedile m sé·*di·*lé *siège*

seggiovia f sé·djo·*vi·*a *télésiège*

sentiero m sènn·*tyè·*ro *sentier*

senza *sènn·*tsa *sans*

servizio m sér·*vi·*tsyo *service*

settimana f sét·ti·*ma·*na *semaine*

sicuro/a m/f si·*kou·*ro/a *sûr(e)*

sigaretta f si·ga·*rèt·*ta *cigarette*

soccorso m sok·*kor·*so *secours • aide*

soldi m pl *sol*·di *argent*

solo andata f *so*·lo ann·*da*·ta *aller simple*

sorella f *so*·rèl·la *sœur*

spiaggia f *spya*·dja *plage*

sporco/a m/f *spor*·ko/a *sale*

spuntino m *spounn*·ti·no *en-cas*

stagione f *sta*·djo·né *saison*

stanza f *stann*·tsa *chambre*

stazione della metropolitana *sta*·tsyo·né dèl·la mé·tro·po·li·*ta*·na *station de métro*

stazione f **d'autobus** *sta*·tsyo·né *da*·ou·to·bou·se *gare routière*

stazione f **ferroviaria** *sta*·tsyo·né fér·ro·*vya*·rya *gare ferroviaire*

straniero/a m/f *stra*·nyè·ro/a *étranger/ étrangère*

studente/studentessa m/f *stou*·dènn·té/ *stou*·dènn·*tès*·sa *étudiant(e)*

sud m *soud sud*

suocera f *swo*·tché·ra *belle-mère*

supermercato m *sou*·pér·mér·*ka*·to *supermarché*

sveglia f *své*·lya *réveil*

T

tardi *tar*·di *tard*

temperino m *tèmm*·pé·*ri*·no *taille-crayon*

tossire *tos*·si·ré *tousser*

traghetto m *tra*·*guèt*·to *bac*

trucco m *trouk*·ko *maquillage*

tu *tou tu*

tutto m *tout*·to *tout*

U

ubriaco/a m/f *ou*·bri·*a*·ko/a *ivre*

ufficio m *ouf*·fi·tcho *bureau*

ufficio m **del turismo** *ouf*·fi·tcho dél tou·*riz*·mo *office du tourisme*

ufficio m **oggetti smarriti** o·*djèt*·ti smar·*ri*·ti *bureau des objets perdus*

ufficio m **postale** *ouf*·fi·tcho po·*sta*·lé *bureau de poste*

ultimo/a m/f *oul*·ti·mo/a *dernier/dernière*

uomo m *wo*·mo *homme*

uscire con ou·*chi*·ré konn *sortir avec*

uscita f ou·*chi*·ta *sortie*

V

vacanze f pl va·*kann*·tse *vacances*

vagone m **letto** va·*go*·né lèt·to *wagon-lit*

valigetta f va·li·*djèt*·ta *kit*

veloce vé·lo·tché *rapide*

verde *vér*·dé *vert(e)*

verdura f *vér*·dou·ra *légumes (verts)*

via f **aerea** *vi*·a·a·è·ré·a *par avion*

viaggio m **d'affari** *vya*·djo daf·*fa*·ri *voyage d'affaires*

videoregistratore m vi·dé·o·ré·dji·stra·*t*·ré *magnétoscope*

vino m *vi*·no *vin*

viola *vyo*·la *violet*

visita f **guidata** *vi*·zi·ta gwi·*da*·ta *visite guidée*

vista f *vi*·sta *vue*

vocabolarietto m vo·ka·bo·la·*ryèt*·to *mini-dictionnaire*

vocabolario m vo·ka·bo·*la*·ryo *dictionnaire*

volo m *vo*·lo *vol*

Z

zaino m *dza*·i·no *sac à dos*

zanzara f dzann·*dza*·ra *moustique*

Q

R

S

T

U

V

INDEX